Leandro Fernández de Moratín
LA COMEDIA NUEVA
EL SÍ DE LAS NIÑAS

CLÁSICOS UNIVERSALES PLANETA

Dirección:
GABRIEL OLIVER
catedrático de la Universidad de Barcelona

Leandro Fernández de Moratín

LA COMEDIA NUEVA
EL SÍ DE LAS NIÑAS

Edición, introducción y notas de
GUILLERMO DÍAZ-PLAJA
de la Real Academia Española

Planeta

© Editorial Planeta, S. A., 1989
   Córcega, 273-277, 08008 Barcelona (España)
Diseño colección y cubierta de Hans Romberg (realización de Jordi Royo)
Ilustración cubierta: retrato realizado por Francisco de Goya
Primera edición en esta colección: enero de 1984
Segunda edición: noviembre de 1989
Depósito Legal: B. 36.526-1989
ISBN 84-320-4041-X
Printed in Spain - Impreso en España
T. G. Soler, S. A., Enric Morera, 15, Esplugues de Llobregat (Barcelona)

SUMARIO

LA COMEDIA NUEVA
O EL CAFÉ

EL SÍ DE LAS NIÑAS

INTRODUCCIÓN

MORATÍN Y SU TIEMPO

Dos períodos abarca la vida de Moratín: el que termina en 1808, y el que comienza a partir de esta fecha. Circula el primero bajo la égida del mediocre y bonachón Carlos IV, pero muy especialmente bajo el dominio de don Manuel de Godoy, favorito audaz pero hombre de indudable talento. Moratín en este período vive la situación de un escritor español que busca progresar al amparo de la política y de unas rentas. Pero al sobrevenir la invasión napoleónica, la vida del escritor entra en un período tumultuoso y dramático. Para comprender esta situación hay que entender que los mejores espíritus de la época, los intelectuales del siglo XVIII, se forman, en España, bajo el influjo del gusto y de la ideología de Francia. La presencia de José Bonaparte plantea a estos espíritus el problema de que si su corazón se inclina hacia los patriotas que luchan contra los franceses, su cabeza se siente seducida por la ideología del invasor. El dilema es terrible. Una vez más, el español tiene que optar, y unas veces por convicción y otras por debilidad, debe tomar una decisión. Moratín se decide a aceptar el cargo de bibliotecario mayor que le ofrece José Bonaparte que, con ello, por otra parte, demuestra conocer el valor de las gentes que le rodeaban. Esta aceptación sella su destino. Al terminar la guerra de la Independencia Moratín figurará fatalmente en la lista de afrancesados sospechosos, lo que le acarreará la huida de Madrid, la estancia en Valencia o Barcelona, y finalmente los exilios más o menos voluntarios en Francia, en el curso de uno de los cuales muere.

LA INFLUENCIA FRANCESA

Cuando se dice que la cultura española del siglo XVIII actúa bajo el signo de Francia debe entenderse, por lo menos, en dos aspectos: a) el estético y b) el sociológico.

a) En el aspecto estético, *la literatura y el arte se mueven en el espíritu del clasicismo grecolatino. Francia, en efecto, se ha erigido en el continuador más exigente del Renacimiento italiano que proclamó, como ya sabemos, el retorno a las normas preceptivas de la Antigüedad. Cuando la literatura española se siente fatigada de las exageraciones barrocas —culteranismo y conceptismo— encuentra en el prudente equilibrio de los clasicistas franceses una fórmula saludable. Este equilibrio se basa en que para los preceptistas griegos y latinos la literatura tenía un valor educativo. Debía, pues, ser comprensible, lógica, clara y verosímil, huyendo de las exageraciones del estilo de un Góngora o de un Gracián que sólo los muy cultos podían comprender. De ahí que Francia impusiera a España este retorno a las normas de la Antigüedad clásica greco-latina que, en la literatura castellana, se conoce con el nombre de neoclasicismo.*

Las tres unidades. *Ahora se comprenderá mejor por qué las normas neoclásicas imponían a los autores de obras dramáticas reglas tan estrictas y tan rígidas como las de las* tres unidades. *Por la* unidad de acción, *las obras debían tener un solo nudo y un solo desenlace; por la* unidad de lugar, *la acción de la obra debía desarrollarse en el mismo sitio; y, finalmente, la* unidad de tiempo *obligaba a presentar la acción de una manera sucesiva y continuada —tal como sucede en la realidad—, sin que sus episodios pudiesen presentarse como acontecidos en un plazo superior a las veinticuatro ho-*

ras. ¿Por qué se exigía esto a los autores? Para que se viesen obligados a presentar las obras como fragmento de la vida, reales y verosímiles, y obtener así la comprensión de todos y, con ello, la eficacia de la lección moral que debía extraerse de toda obra literaria.

b) EN EL ASPECTO SOCIOLÓGICO, *la influencia francesa es también muy notable. Las ideas de los clasicistas franceses del siglo XVII tenían, como se ve, un fondo educativo. Esta intención pedagógica se amplía en el siglo XVIII, con la labor que realizan los enciclopedistas, que aspiran a crear el estado de espíritu que dará origen a la Revolución Francesa. Un deseo de mejorar las condiciones de la existencia, un afán de hacer llegar a todas partes el saber, de prolongar a las clases más humildes los beneficios de la cultura anima a todos, en este período llamado de* despotismo ilustrado *que se representa en la frase* todo para el pueblo, pero sin el pueblo.

La literatura amplía sus términos. Si el clasicismo del siglo XVII se basa, sobremanera, en la Razón, hasta el punto de que, según Boileau, «sólo es bello lo que es razonable», el siglo XVIII propende a valorar el sentimiento, «El corazón tiene sus razones que la Razón no conoce» había dicho Pascal. Los novelistas franceses de la segunda mitad del siglo ponen en circulación relatos que todos entienden porque hablan en el lenguaje universal del sentimiento. Todos los jóvenes se conmueven, cuando Bernardin de Saint-Pierre les cuenta los amores adolescentes de Pablo y Virginia, *en la isla lejana llena de árboles exóticos. O se emocionan leyendo en el libro del abate Prévost, las malaventuras que el apasionado y versátil carácter de* Manon Lescaut *produce en su leal enamorado el caballero Des Grieux. Un nuevo elemento, la ternura, se abre paso en el campo de la creación literaria. Los hombres maduros, educados en el rígido y severo racionalismo, consideraban que estas muestras del sentimiento no debían tener lugar en la obra literaria. Pero un nuevo concepto de*

las cosas se está abriendo paso. Estamos a las puertas
del Romanticismo.

El noble pensador que era don Gaspar Melchor de
Jovellanos, se siente en la obligación de defender la expresión de los sentimientos:

> ¡Ay!, di, ¿por qué te escondes, Galatea?
> Divina Galatea, ¿desde cuándo
> la natural ternura es un delito?
> ... Su llanto esconden los que en él al mundo
> un testimonio dan de sus flaquezas,
> pero el sensible corazón, al casto
> fuego de la amistad solamente abierto
> ¿se habrá de avergonzar de su ternura?

MORATÍN, EUROPEO

Moratín es un perfecto ejemplar de intelectual de su
época. Estudioso, comprensivo, tolerante, un poco mi-
santrópico y silencioso [1] aprende en sus viajes juveni-
les —Francia, Inglaterra, Italia— los modos del vivir
europeo. Cuando regresa a España se irrita al contem-
plar, todavía, muestras de atraso, de rutina, de ignorancia. En sus comedias no pierde ocasión para burlarse
de cuanto le parece poco racional o inteligente. Trae,
pues, a la literatura española, los dos aspectos de la
influencia francesa: el estético y el sociológico. Desde el
punto de vista estético, su teatro se ajusta rigurosa-

---

1. Moratín, que, como veremos, refleja un episodio de su vida
en *El sí de las niñas*, presenta en *La comedia nueva* a un personaje,
don Pedro de Aguilar, que suele tomarse como un trasunto de sí mismo. «Alterno —dice— en la obra los placeres con el estudio; tengo
pocos pero buenos amigos y a ellos debo los más felices instantes de
mi vida. Si en las concurrencias particulares soy raro algunas veces,
siento serlo; pero ¿qué le voy a hacer? Yo no quiero mentir ni puedo
disimular; y creo que el decir la verdad, francamente, es la prenda
más digna de un hombre de bien.»

mente a las tres unidades; *desde el sociológico se propone un ideal educativo, por ejemplo: en* El sí de las niñas, *evitar que se produzcan matrimonios infelices, por sojuzgar los padres la opinión y los sentimientos de los hijos, en nombre de un equivocado concepto de la autoridad. Esta doctrina fue considerada, entonces, como atrevida y revolucionaria. Por distintos procedimientos se intentó prohibir las representaciones de la obra, y se hubiera conseguido de no mediar la decisiva protección de Godoy.*

Moratín seguía en esta comedia su doctrina imperturbable: el teatro como ejemplo de la verdad y de virtud. «Debe, pues, ceñirse la buena comedia, a presentar aquellos frecuentes extravíos que nacen de la índole y particular disposición de los hombres, de la absoluta ignorancia, de los errores adquiridos en la educación o en el trato, de la multitud de las leyes contradictorias, feroces, inútiles o absurdas, del abuso de la autoridad doméstica y de las falsas máximas que la dirigen, de las preocupaciones vulgares o religiosas o políticas, del espíritu de corporación, de clase o paisanaje, de la costumbre, de la pereza, del orgullo, del ejemplo, del interés personal; de un conjunto de circunstancias, de efectos, de opiniones que producen efectivamente vicios y desórdenes capaces de turbar la armonía, la decencia, el placer social, y causar perjudiciales consecuencias al interés privado y al público.» [2]

MORATÍN Y LA RENOVACIÓN DEL TEATRO

Ya hemos visto en los textos biográficos que Moratín, desde su juvenil Lección *poética, se enfrenta a la tradición dramática española, precisamente por lo que*

---

2. *Comedias*, Discurso Preliminar, B.A.E., vol. II, p. 322.

tiene de arbitraria, inverosímil y gratuita. Los espíritus más selectos de la época propugnaban por un teatro más ajustado al gusto general europeo; es decir, un teatro de tipo clásico. Los espectáculos escénicos que se ofrecían, por ejemplo, en los Reales Sitios, servidos por magníficos artistas italianos, estaban dentro de esta línea. Pero en Madrid, el público exigía las obras tradicionales. En vano personalidades tan ilustres o influyentes como el conde de Aranda procuraban adecentar los locales, empezando por renovar las decoraciones, mejorar la orquesta, poner orden en la sala. El gusto popular se manifestaba opuesto. Las representaciones transcurrían entre la baraúnda de las facciones o grupos que dividían a los espectadores.[3] Se decían impertinencias a

3. «En tanto, pues, que se admiraban reunidos en el Retiro todos los primores de la música, de la poesía, de la perspectiva del aparato y pompa teatral, la escena española, miserable y abandonada de la corte, se sostenía con entusiasmo del vulgo en manos de ignorantes cómicos y de ineptísimos poetas. De nada sirvió el haberse dado al corregidor de Madrid el título de protector de los teatros, con el encargo de la formación de compañías y el gobierno de ellas; la depravación de nuestra dramática pedía de parte de la suprema autoridad providencias más directas y más eficaces.

»El pueblo que tan estragado gusto manifestaba, se hubiera engañado mucho menos en sus juicios, si no se hubiese dejado sojuzgar por la opinión de ciertos caudillos que por entonces le dirigían, tiranizando las opiniones y distribuyendo como querían los silbidos, las palmadas y los alborotos. Los apasionados de la compañía del Príncipe se llamaban *Chorizos*, y llevaban en el sombrero una cinta de color de oro; los de la compañía de la Cruz *Polacos* con cinta en el sombrero de azul celeste; los que frecuentaban el teatro de los Caños tomaron el nombre de *Panduros*. Había un fraile trinitario descalzo, llamado el P. Plaço, jefe de la parcialidad a que dio nombre, atolondrado e infatigable voceador, que adquirió entre los mosqueteros opinión de muy inteligente en materia de comedias y comediantes. Corría de una parte a otra del teatro animando a los suyos para que, dada la señal de ataque, irrumpiesen con alaridos, chillidos y estrépito cualquiera pieza que se estrenase en el teatro de los *Chorizos*, si por desgracia no habían solicitado de antemano su aprobación, al mismo tiempo que sostenía con exagerados aplausos cuantos disparates representaba la compañía polaca de quien era frenético panegirista. Otro fraile franciscano llamado el P. Marco Ocaña, ciego apasionado de las dos compañías, hombre de buen ingenio, de pocas letras, y de conducta menos conforme de lo que debiera ser a la austeridad de su profesión, se presentaba disfrazado de seglar en el primer asiento de la barandilla inmediato a las tablas, y desde allí solía llamar la atención del público con los chistes que dirigía a los actores y a las

*las actrices que representaban papeles sacros en los
autos sacramentales y ensalzaban o se hundían obras a
placer de unos cuantos.*

*Naturalmente, una figura como la de Moratín estaba
resueltamente del lado de los reformadores. «No bas-
taban para esto, la erudición y la censura; se necesita-
ban repetidos ejemplos, convenía escribir piezas dramáticas según el arte; no era ya soportable contempo-
rizar con las libertades de Lope, ni con las marañas de
Calderón.»* [4]

«LA COMEDIA NUEVA» O «EL CAFÉ»

*Decidió hacer más: una comedia que reflejase su doc-
trina estética, ridiculizando la que trataba de combatir.
El hombre que desde su juventud (1782: Lección poética sobre los vicios introducidos en la poesía castellana; 1789: La derrota de los pedantes) se había ejerci-
tado en la sátira literaria; que, en todos sus viajes, se
preocupaba de ver los avances del teatro extranjero, con
el deseo de evitar que en España siguiesen prosperando
ciertas obras rimbombantes, barrocas e inverosímiles,
estrenó, en 1792, La comedia nueva o El café. El autor
escribía en el prólogo de una edición de la misma:*

*«Esta comedia ofrece una pintura fiel del estado ac-
tual de nuestro teatro; pero ni en los personajes ni en
las alusiones se hallará nadie retratado con aquella
identidad que es necesaria en cualquier copia, para
que, por ella, pueda indicarse el original. Procuró el*

---

actrices; les hacía reír, les tiraba grageas, y les remedaba en los pasajes más patéticos. El concurso, de quien era bien conocido, atendía
embelesado a sus gestos y ademanes y el patio cubierto de sombreros
chambergos palmoteaba sus escurrilidades e indecencias.» Moratín,
ed. cit., pp. 314-315.

4. Discurso preliminar, ed. cit., p. 320.

autor, así en la formación de la fábula como en la elección de los caracteres, imitar a la naturaleza en lo universal, formando de muchos un solo individuo.

»*De muchos escritores ignorantes que abastecen nuestra escena de comedias desatinadas, de sainetes groseros, de tonadillas necias y escandalosas, formó un don Eleuterio; de muchas mujeres sabidillas y fastidiosas, una doña Agustina; de muchos pedantes erizados, locuaces, presumidos de saberlo todo, un don Hermógenes; de muchas farsas monstruosas, llenas de disertaciones morales, soliloquios furiosos, hambre calagurritana, revista de ejércitos, batallas, tempestades, bombazos, y humo, formó* El gran cerco de Viena; *pero ni aquellos personajes ni esta pieza existen.*

»*Don Eleuterio es, en efecto, el compendio de todos los malos poetas dramáticos que escribían en aquella época, y la comedia de que se le supone autor, un monstruo imaginario, compuesto de todas las extravagancias que se representaban entonces en los teatros de Madrid.*»

Corresponde esta comedia, pues, a un deseo educador, que puede comprobarse en todas y cada una de sus partes. Moratín, por boca del personaje don Pedro, dialogando con el prudente don Antonio —seguramente su gran amigo Juan Antonio Melón:

«Don Pedro. *Es increíble. Ahí* [se refiere al estreno de una grotesca comedia al uso] *no hay más que hacinamiento confuso de especies, una acción informe, lances inverosímiles, episodios inconexos, caracteres mal expresados o mal escogidos; en vez de artificio, embrollo; en vez de situaciones cómicas, mamarrachadas de linterna mágica. No hay conocimiento de historia ni de costumbres; no hay objeto moral; no hay lenguaje, ni estilo, ni versificación, ni gusto, ni sentido común. En suma, es tan mala y peor que las otras con que nos regalan todos los días.*

»Don Antonio. *Y no hay que esperar nada mejor.*

Mientras el teatro siga en el abandono en que hoy está, en vez de ser el espejo de la virtud y el templo del buen gusto, será la escuela del error y el almacén de las extravagancias.

»DON PEDRO. *Pero ¿no es fatalidad que después de tanto como se ha escrito por los hombres más doctos de la nación sobre la necesidad de su reforma, se han de ver todavía en nuestra escena espectáculos tan infelices? ¿Qué pensarán de nuestra cultura los extranjeros que vean la comedia de esta tarde? ¿Qué dirán cuando lean las que se imprimen diariamente?*

»DON ANTONIO. *Digan lo que quieran, amigo don Pedro, ni usted ni yo podemos remediarlo. Y ¿qué haremos? Reír o rabiar; no hay otra alternativa... Pues yo más quiero reír que impacientarme.*

»DON PEDRO. *Yo no, porque no tengo serenidad para eso. Los progresos de la literatura, señor don Antonio, interesan mucho al poder, a la gloria y a la conservación de los imperios; el teatro influye inmediatamente en la cultura nacional; el nuestro está perdido, y yo soy muy español.*»

Se comprende, pues, perfectamente, que esta actitud combativa produjese molestias. Muchos autores de la época se sintieron retratados en La comedia nueva. *Un fabricante de dramones al por mayor, llamado Comella, se vio en el personaje* Don Eleuterio *(y era verdad); en cuanto a* Don Hermógenes *era otro pedante llamado Cristóbal Cladera. Este Cladera fue uno de los que arremetieron con mayor furor contra la representación de* El sí de las niñas.

«EL SÍ DE LAS NIÑAS»: VALOR AUTOBIOGRÁFICO

El mensaje de comprensión, de tolerancia inteligente, tiene mayor valor si se tiene en cuenta que El sí de las niñas *refleja un episodio de la propia vida de Moratín. Efectivamente, teniendo el autor treinta y ocho años, conoció a la heroína de la comedia, Doña Paquita, que así se llamaba en realidad doña Francisca Muñoz y Ortiz, muchacha jovencísima, hija de un irascible militar y de una charlatana insoportable, que aparece con su carácter inconsciente y atolondrado en la comedia, con el nombre de doña Irene. Esta familia madrileña tenía como huésped a un íntimo amigo de Moratín, el arabista José Antonio Conde, y ello facilitó la relación. Nuestro escritor, tan tímido y comedido en general, perdió la cabeza por la muchacha, y en su Diario constan las ternezas que le prodigaba. Pero la diferencia de edad, su carácter indeciso y, seguramente, la presencia de un pretendiente más joven, un militar llamado Francisco Valverde, dieron al traste con el idilio. La Paquita casó con su nuevo enamorado. Pero Moratín conservó toda su vida un afecto casi paternal por la muchacha, a la que siguió tratando y escribiendo en tono jocoso muchas veces y llamándole Pacita, en alusión a las faltas de ortografía que cometía al escribir; incluso su nombre de pila. Cuando Moratín huyó de Madrid, dejó a Paquita en custodia el retrato que le había pintado Goya. Y desde Barcelona, y desde Francia, siguió escribiéndole con el afecto de siempre.*

EL DECORO Y LA TERNURA

El tema del hombre de edad, enamorado de una muchacha joven no lo inventó, naturalmente, Moratín. En la comedia latina de la Antigüedad y en la renacentista «Commedia dell'arte» existen tipos de senex *ridículos, viejos verdes grotescamente enamorados y presentados con trazos de caricatura. El tipo reaparece en comedias de figurón como* Entre bobos anda el juego, *de Rojas Zorrilla, que pudo servir de modelo a Moratín para escribir su obra. Pero Don Diego, el personaje de* El sí de las niñas, *que, en cierto modo, representa al propio Moratín, no es un tipo ridículo, o prepotente que va a abusar de su autoridad, o de la torpe complicidad de la madre de la muchacha. Todas las intervenciones del personaje son un modelo de discreción, mucho más comprensible si se advierte que Moratín caricaturiza su propia condición de hombre maduro, elevando la edad de su personaje a la edad de cincuenta y nueve años. Desde el primer momento, don Diego, a quien sin duda complace la muchacha, se plantea la cuestión con extrema delicadeza. «Yo me hago cargo, querida Paquita, de lo que habrán influido en una niña tan bien inclinada como usted las santas costumbres que ha visto practicar en aquel inocente asilo [el colegio de monjas] que la devoción y la virtud; pero si a pesar de todo esto la imaginación acalorada, las circunstancias imprevistas, la hubiesen hecho elegir sujeto más digno, sepa usted que yo no quiero nada con violencia. Yo soy ingenuo; mi corazón y mi lengua no se contradicen, jamás. Esto mismo le pido a usted, Paquita: sinceridad. El cariño que a usted la tengo no la debe hacer infeliz... Su madre de usted no es capaz de querer una injusticia, y sabe muy bien que a nadie se hace dichoso a la fuerza. Si usted no halla en mí prendas que la inclinen, si siente algún otro cuidadillo en su corazón, créame usted, la menor disimulación en esto nos daría a todos muchísimo que sentir...»*

No cabe expresarse con mayor decoro y, al mismo tiempo, con mayor ternura. Aquella ternura prerromántica que está empezando a surgir en nuestra literatura, acaso por primera vez, en el teatro español, en aquel

*delicioso momento de la despedida entre los dos jóve-
nes enamorados (escena VIII del acto II).*

«—Hasta mañana.

»—Adiós, Paquita.

»—Acuéstese usted, y descanse.

»—¿Descansar con celos?

»—¿De quién?

»—Buenas noches... Duerma usted bien, Paquita.

»—¿Dormir con amor?

»—Adiós, vida mía.

»—Adiós.»

Estreno, éxito y dificultades de «El sí de las niñas»

*Veamos lo que el propio Leandro Fernández de Mo-
ratín escribió acerca de esta obra:*

«El sí de las niñas *se representó en el teatro de la
Cruz el día 24 de enero de 1806, y si puede dudarse cuál
sea entre las comedias del autor la más estimable, no
cabe duda en que ésta ha sido la que el público español recibió con mayores aplausos. Duraron sus primeras representaciones veintiséis días consecutivos, hasta
que, llegada la Cuaresma, se cerraron los teatros como
era costumbre. Mientras el público de Madrid acudía a
verla, ya se representaba por los cómicos de las provin-
cias; y una culta reunión de personas anticipaba en Zaragoza a ejecutarla en un teatro particular, mereciendo
por el acierto de su desempeño la aprobación de cuantos
fueron a oírla. Entretanto se repetían las ediciones de
esta obra; cuatro hicieron en Madrid durante el año
1806, y todas fueron necesarias para satisfacer la común curiosidad de leerla, excitada por las representaciones del teatro. La aprobación pública reprimió los
ímpetus de los críticos foliculdarios; nada imprimieron
contra esta comedia, y la multitud de exámenes, notas,
advertencias y observaciones a que dio ocasión, igual-*

mente que las contestaciones y defensas que se hicieron de ella, todo quedó manuscrito.

»Fueron muchas las delaciones que se hicieron de esta comedia al Tribunal de la Inquisición. Los calificadores tuvieron no poco que hacer en examinarlas y fijar su opinión acerca de los pasajes citados como reprensibles; y, en efecto, no era pequeña dificultad hallarlos tales, en una obra en que no existe ni una sola proposición opuesta al dogma ni a la moral cristiana.

»Un ministro, cuya principal obligación era la de favorecer los buenos estudios, hablaba el lenguaje de los fanáticos más feroces, y anunciaba la ruina del autor de El sí de las niñas como la de un delincuente merecedor de grave castigo.

»Sin embargo, la tempestad que amenazaba se disipó a la presencia del Príncipe de la Paz [Godoy]; y el respeto contuvo el furor de los ignorantes y malvados hipócritas, que, no atreviéndose por entonces a moverse, remitieron su venganza para ocasión más favorable.»

La representación de El sí de las niñas levantó tremenda polvareda. Antonio Melón en su Apuntaciones, escribe:

«El abate Cladera le declaró una guerra a muerte.

»Cuando se representó El café, hizo diabluras para hacerlo caer, y lo mismo cuando se representó El sí de las niñas, a cuya persecución le acompañó un oficial de Marina llamado Cáceres. También suscitó, bajo mano, una persecución cruel contra esta comedia Negrete, el hijo mayor del ministro Campo Alange, unido con una gavilla de zascandiles que compusieron un tomo manuscrito contra dicha comedia con el fin de que la prohibiese la Inquisición, y lo hubieran conseguido si el Príncipe de la Paz no la hubiera protegido.»

Es evidente que, en la obra moratiniana, abundan textos de humor liberal, de sátira contra la ignorancia de algunos conventos, las exageraciones devotas de algunas beatas, el abuso de la literatura barata de carác-

ter hagiográfico. El propio Moratín, temeroso del Santo Oficio, suprimió algunas frases más atrevidas. No pudo evitar, con todo, que los enemigos literarios intentasen mover contra él el entonces tan temible poder inquisitorial. Con todo, la obra siguió adelante, no sólo en las representaciones teatrales sino en las ediciones.

Ya hemos hablado del éxito. Digamos que su justificación no se deriva del tema sentimental, que ya hemos anotado; ni del sentido de crítica, que es también evidente. El tema sentimental es, ciertamente, una clave para el éxito. Los novelistas de la época supieron muy bien cómo los argumentos de tipo amoroso interesaban a públicos cada vez más amplios. Pero la obra de Moratín no montaba su triunfo sobre su temática, sino sobre su tersa, cristalina y sencilla prosa. Sobre el ajuste preciso, modelado, de la palabra a la acción. Sobre la verdad que se deduce de todos y cada uno de los parlamentos de los personajes. Sobre el equilibrio de cada situación, de cada acto. Por primera vez en muchos años sentían los espectadores españoles la autenticidad, *como clave de una obra de teatro. Un soplo de realidad, un pálpito de corazones desnudos pasaba de la escena a la sala; hacía llegar, conmovedoramente, la emoción de unas criaturas de ficción a unas criaturas de verdad.*

Todo sucede, en la comedia, de un modo suave, ascendente, lógico, verosímil. Tal como pudo ser. Tal como —en cierto sentido— fue.

Nos damos cuenta, entonces, que, la exposición normal, objetiva, y natural de un suceso, se ajusta automáticamente a las tres unidades. Sí, la comedia de Moratín se atiene a las reglas. Tiene una sola acción; sucede en el mismo sitio; transcurre en un plazo no superior a las veinticuatro horas. El autor nos da, suavemente, una lección de teatro clásico. Las normas preceptivas no vienen desde fuera, *a constreñir la creación literaria. Por el contrario, surgen sencilla y espontáneamente* desde dentro, *el servicio de una concepción simple, de la presentación natural de un suceso, en su biológico desarrollo, en su importante y sencilla realidad.*

Moratín, gran español y gran europeo, nos da en esta comedia de ambiente castellano, que sucede en una humilde posada de Alcalá, una lección admirable de teatro clásico universal.

GUILLERMO DÍAZ-PLAJA

LA VIDA DE MORATÍN CONTADA POR ÉL MISMO

1760. Nace el 1.º de marzo en Madrid. Es hijo primogénito del famoso escritor don Nicolás. Aprende primeras letras y se aficiona desde niño a la lectura. Carácter melancólico; amigo de la soledad.

1779. Gana un accésit del concurso de la Real Academia Española con su poema en romance heroico *La toma de Granada.*

1782. Asiste a clases de dibujo. Gana otro accésit, ante la misma Corporación, con su *Lección poética sobre los vicios introducidos en la poesía castellana,* interesante texto que refleja su estado de espíritu ante los errores de la literatura de su tiempo. Moratín, que hereda de su padre el sentido clasicista y educador del teatro,

El gusto y la razón, en verso,
  en prosa
la invención rectifiquen; que
  sin esto
jamás se acertará ninguna
  cosa.
Mi patria llora el ejemplar
  funesto;
su teatro en errores sepul-
  tado,
a la verdad y a la belleza
  opuesto,
muestra lo que produce el
  estragado
talengo que sin luz se des-
  camina
de la docta elección abando-
  nado,
nuevo rumbo siguió, nueva
  doctrina
la hispana musa, y desdeñó
  arrogante
la humilde sencillez griega y
  latina.
Dio a la comedia estilo re-
  tumbante,

arremete contra el teatro tradicional español.

figurado, sutil o tenebroso
de la debida propiedad distante,
halló en escena el vulgo cla-
  moroso
pintadas y aplaudidas las acciones
a que le inclina su vivir vicioso
y en vez de dar un freno a
  sus pasiones
en la enseñanza de verdades
  puras
mezcladas con honestas in-
  venciones,
oye sólo mentiras y locuras,
celebra y paga enormes desaciertos
y de juicio y moral se queda
  a oscuras.

(Lección poética)

1785. Aprende el oficio de joyero; pero se siente cada vez más inclinado al teatro. Intenta estrenar *El viejo y la niña.*

1787. El conde de Cabarrús, aconsejado por Jovellanos, toma a Leandro Fernández de Moratín como secretario, para acompañarle a París. De este modo, va a iniciar sus experiencias de viajero. Atraviesa la península, cono-ce por primera vez Barcelo-na, ciudad que el destino le deparará como refugio más adelante, y llega a París, don-de traba conocimiento con el teatro francés en cuanto

En mi vida he visto peor mes de enero ni más nieve... Descansé en Zaragoza, me volví a cansar en el maldito camino que va a Barcelona... Vi por primera vez el mar. No me hartaba de verle... El Rosellón, que en verdad está muy atrasado en compara-ción de la agricultora, indus-triosa y comerciante Cata-luña...

(Cartas a Cea Bermúdez)

Te diré solamente que la celebridad del teatro francés me parece justamente adqui-rida. No hablemos de sus poetas, que ya los conoces; pero ciñéndome a la propie-

a la organización y la dirección escénica; ambos aspectos le interesan enormemente puesto que don Leandro se propone intervenir en la reforma de nuestro teatro. En París tiene la inmensa alegría de conocer a Carlo Goldoni, el gran autor veneciano, ídolo de la escena de su tiempo. Escribe su comedia *El Barón*.

1788. Vuelto a España, por haber caído en desgracia el conde de Cabarrús, intentó de nuevo estrenar *El viejo y la niña*, siendo prohibida la representación por el vicario eclesiástico.

1789. Indignado ante las envidias y pasiones entre los literatos, publica *La derrota de los pedantes*, sátira literaria. Empieza a ayudarle el conde de Floridablanca. Recibe órdenes menores que le permitirán recibir «beneficios» o «rentas eclesiásticas».

dad, al decoro de la escena y al método de la declamación, te aseguro que sorprende el mérito de estos actores.
(A Juan Pablo Forner)

Llegó el buen día y hora señalada, fui allá y vi a mi buen Goldoni, viejo, amable, respetable, alegre, gracioso, cortés... no me hartaba de verle... ¡Cuánto me agradeció la visita! Hablamos largamente de teatro.
(A Eugenio de Llaguno)

Repetían las palabras de Mercurio en que pedía un literato de representación idóneo, bien nacido, estimado de los inteligentes. Y ¿quién era entre ellos el que no se juzgaba más idóneo, más ilustre, más benemérito que todos ellos juntos? De esta presunción nació su ruina. Empelasgáronse unos con otros; cada cual se alababa a sí propio con admirable satisfacción y engreimiento; oíanse pullas y desvergüenzas, y dicterios sin número; salieron a plaza las faltas más ocultas; y, últimamente, pasada la cólera de la lengua a los puños, comenzaron la más desesperada refriega que jamás se ha visto.

Allí se manifestó cuán poco duran unidos aquellos que amontonan el delito y el error, y que sólo entre los que siguen el recto camino, ya de la virtud, ya de la sabiduría, puede hallarse durable paz y amistad verdadera.

(La derrota de los pedantes)

1790. Traba amistad con Godoy, quien comienza a protegerle, consiguiendo el estreno de *El viejo y la niña*. Obtiene un «beneficio» parroquial y una pensión del arzobispado de Oviedo. Alterna su vida en Madrid con estancias en Pastrana. Escribe *La mojigata* y redacta *La Comedia nueva*.

1791. Estrena *La Comedia nueva*. Obtiene de Godoy un permiso para viajar a París, y un auxilio de 30 000 reales.

1792-1793. En París se encuentra un ambiente harto distinto del que halló en su primera estancia: la Revolución Francesa pasa por su momento más sangriento. Mala circunstancia para un tímido como Moratín. Sale para Inglaterra, donde estudia con interés los detalles originales de la vida inglesa, anotando en *Cuadernos* cuanto le llama la atención (publicados en sus *Obras Póstumas*). Le sorprende, sobre todo, el ambiente de libertad ideológica. Estudia a los es-

Ayer llegué a Londres (28 de marzo). Las cosas de París van mal. La Fayette se escapó huyendo de la guillotina, que le amenazaba; el rey está en una torre del Temple, con un municipal que no le pierde de vista y mil hombres de guardia; los jacobinos han renovado las proscripciones del Triunvirato; nadie vive seguro, y todo el que puede escapar, escapa.

(A Juan Antonio Melón)

En Inglaterra hay absoluta libertad de religión; en obedeciendo a las leyes civiles, cada cual puede seguir la creencia que guste, y sólo se llama infiel al que no cumple sus contratos.

(Cuaderno I)

¡Cómo bebo cerveza! ¡Cómo hablo inglés! ¡Qué carradas doy por Hay-Market y Covent-Garden! Y sobre todo, ¡cómo me ha herido el ceguezuelo rapaz con los ojos zarcos de una esplieguera!

(Cuaderno I)

critores ingleses. Empieza a
traducir el *Hamlet*. Escribe
a Godoy solicitando la plaza
de director de teatros, para
llevar a cabo la renovación
que tiene proyectada. Parece
que anda enamorado de una
inglesita. Deja Inglaterra, y
viaja por Alemania e Italia,
anotando y dibujando cuanto
observa digno de interés
(edición citada).

1797. Llega a Madrid en 1797,
donde se hace cargo de la
Secretaría de Interpretación
de Lenguas, por nombra-
miento de Godoy.

1798. Conoce a Paquita Muñoz, la futura protagonista
de *El sí de las niñas*, de la
que se enamora.

1799. Se le nombra director
de la Junta de Dirección y
Reforma de los Teatros; y
más tarde, fracasada la ges-
tión de la misma, director
de los Teatros, cargo al que
renuncia por la imposibili-
dad de cambiar las rutinas
escénicas españolas.

1806. El 24 de enero se estrena *El sí de las niñas*.

1807. Ruptura con Paquita,
que se casa con un militar,
más joven que Moratín.

1808. Motín de Aranjuez,
contra Godoy. Moratín debe

huir de su domicilio y esconderse. Entran las tropas francesas en Madrid, que abandonan el mismo año, con motivo de la batalla de Bailén. Moratín deja la capital con los franceses y regresa a Madrid una vez que Napoleón instala en la capital de España a su hermano José.

1811. Es nombrado por el *Intruso*, bibliotecario mayor de la Biblioteca Real. Trabaja con entusiasmo en la modernización de los servicios, tal como los había observado en el extranjero, especialmente en Italia (catálogos, fichas sueltas, en vez de cuadernos).

1812. Estrena la traducción de *La escuela de los maridos*, de Molière. La derrota de los Arapiles, obliga a José Bonaparte a abandonar Madrid, retirándose a Valencia. Allí le sigue Moratín, quien, en tan inoportuno momento, dedica una oda al general francés Suchet. Al salir el *Intruso*, Moratín se oculta para continuar en España.

1813. Fernando VII, al volver para ocupar el trono, dicta decretos sobre los funcionarios, clasificándolos según su grado de «colaboracionismo» con el invasor. Mo-

Yo había sido un empleado; había ido a Madrid con el convoy, y a mayor abundamiento era caballero del Pentágono, circunstancias que me exponían, en los días te-

ratín creyó estar entre los que podían quedar en España, perdonados.

1814. Presentado a la autoridad militar el general Elío, en Valencia, éste lo insulta violentamente, y lo manda conducir a una goleta que salía para Francia. Pero una terrible tempestad lo lleva a Barcelona, donde el capitán general, barón de Eroles, en un tono mucho más humano, le permite permanecer en la Ciudad Condal.

1815. Moratín se instala en una pequeña pensión de la calle de Petritxol, esperando el momento en que se aclare su situación oficial, y en que se le devolvieran sus bienes (que recuperó en parte) y rentas eclesiásticas. Mientras tanto, Moratín se siente feliz en Barcelona, donde le complace el carácter liberal, independiente y trabajador de sus habitantes.

mibles de abandono y desorden, a cualquier insulto del pueblo, y en los siguientes a la venganza de los literatos, con quien sabe usted que jamás quise hacer pandilla. Salí, pues, de Valencia el día 3 de junio de 1813... Seguí hasta Vinaroz...
(Carta a Sebastián Loche)

Y hallándome en esta situación de apuro, resolví quedarme en Peñíscola, y allí permanecí desde el 9 de julio de 1813 hasta el 13 de mayo de 1814.

Llegué a dicha ciudad [Valencia] el 3 de junio. Vi los decretos del Rey, en que clasifica a los empleados del intruso, y señala los que deben quedarse en Francia y los que pueden permanecer libremente en España, prometiéndoles libertad, seguridad y protección. A estos últimos pertenecía yo... escribí un papel al general dándole parte de mi llegada... Allí [en su casa] a presencia de más de veinte personas me insultó... Me envió preso a las ciudades con orden de que me condujese a la ciudadela y de aquí a Francia, en una goleta... Vientos contrarios, huracanes... así estuvimos cinco días sin dormir, fatigados, llenos de horror, y, en el último día le dio la gana al viento de ser favorable, y llegamos a Barcelona. Me presenté al general, barón de Eroles, que me recibió muy bien, y me dijo que permaneciese libre en la ciudad.

(A Sebastián Loche)

Aquí [en Barcelona] todo el mundo está tranquilo; y no ha habido más alboroto que el ruido que hacen de noche la multitud de tartanas, calesinas, coches y birlochos, que traen gente de las máscaras.

(A Francisca Muñoz)

Mi resolución es la de no moverme de aquí, ni trocar este pueblo por otro ninguno de España... entre unas gentes las más tolerantes, las menos chismosas, las menos perseguidoras de toda la Península; donde cada cual atiende a sus negocios e intereses y no se mezcla en los ajenos...

(A Juan Antonio Melón)

1817. Inquieto, sin embargo, por los manejos de la Inquisición (que había prohibido la representación de algunas de sus obras) y por la lentitud de la resolución real sobre su persona, Moratín, obtiene un pasaporte, alegando motivos de salud y se traslada a Montpellier, donde reside dos años, haciendo algunos viajes a París.

Básteme por ahora saber que nadie me perseguirá donde estoy [Montpellier] por traidor, ni por gaditano, ni por afrancesado, ni por conspirador, ni por sospechoso. ¡No puedes figurarte con qué facilidad, con qué impunidad se atropella a cualquiera en aquel desventurado país!

(A Juan Antonio Melón)

Estoy bueno [en Montpellier]. Ha hecho aquí un invierno excelente, trato con muy pocos, me paseo cuando el tiempo y el piso lo permiten y, por la noche, voy al teatro.

(A Francisca Muñoz)

Yo me divierto mucho en este lugar inmenso [París], únicamente con pasear por las calles y ver la infinidad de tiendas... Cuando me arrepienta de ser vecino de este lugar ya avisaré...

(A Francisca Muñoz)

1820. Vuelto a Barcelona, con motivo del triunfo de las ideas liberales, se instala con gran contentamiento en la Ciudad Condal, donde es recibido en triunfo. Sigue, pues, sin querer volver a su villa natal, a Madrid, donde teme las intrigas de los literatos, a pesar de que la Real Academia Española lo elige como individuo de número.

Aquí [en Barcelona] han hecho versos a mi venida... Representaron *El sí* [*de las niñas*], y el numeroso auditorio palmoteó y gritó, y quería ver al autor... Aquí me estoy y aquí me estaré, y no saldré sino para Burdegalia [Burdeos] o para la vida eterna.

(A Juan Antonio Melón)

No tengo nada que hacer en Madrid; el haber nacido ahí no es suficiente... Quiero vivir libre, y lejos de la corte y de gobierno y de empleados...

(A Francisca Muñoz)

1821. En este mismo año aparece en Barcelona una

Aquí no hay invierno ni estufa. Hoy [6 de enero] está

epidemia de fiebre amarilla o vómito negro. Moratín, aterrado, abandona de nuevo España, para instalarse en Francia.

1824. Se instala en Burdeos. Trabaja en la edición de sus *Obras*. Acaba de redactar los *Orígenes del Teatro Español*. Ve traducido al francés *El sí de las niñas*. Junto con Manuel Silvela funda un colegio donde enseña. Otros emigrados españoles aparecen por Burdeos. Entre ellos, Goya, con cerca de ochenta años.

1825. Moratín enferma de un ataque de apoplejía del que se repone.

el termómetro a diez grados sobre cero. Te aseguro que... no hay tierra mejor.
(A Juan Antonio Melón)

Lo que hay de importancia [en Barcelona] es haberse manifestado... fiebre amarilla o vómito negro: mueren echando sangre por la boca y narices... [7 de agosto].
Se han tomado providencias muy eficaces... pero no hay seguridad absoluta. [11 de agosto].
La providencia exige que salgamos de aquí. [21 de agosto].
(A Juan Antonio Melón)

En fin, yo salí oportunísimamente [29 de enero]; entré en Francia, la atravesé desde Perpiñán a Bayona, y en este viaje se pasó mes y medio por las detenciones que hice. Ya tengo mi cuarto, mi leña para la chimenea, mi abono en el teatro...
No tengo nada que añadir, sino que estoy bueno y viejo y feo.
(A Francisca Muñoz)

Llegó [escrita el 27 de junio] en efecto, Goya, sordo, viejo, torpe y débil, y sin saber una palabra de francés, y sin traer un criado, y tan contento y deseoso de ver mundo...

1827. Silvela traslada a París su escuela, y Moratín, ya muy enfermo, le acompaña.

Mis diversiones, proyectadas [en París] no han empezado todavía; lo que ha empezado hace poco es una irritación de estómago, para lo cual uno de los remedios principales es la dieta... con lo cual voy enflaqueciendo en términos de no poderme tener sobre las piernas... Dentro de dos meses volveré otra vez a mi Burdeos, en donde quiero vivir y morir. [4 de junio].

1828. Muere en París, el 21 de julio.

(A M. García de la Prada)

BIBLIOGRAFÍA

Ediciones

Obras dramáticas, y líricas, M., Real, 1795-1806, 2 vols.
Obras, M. Real Academia de la Historia, 1830-1831, 4 tomos en 6 vols.
Obras (BAE, II, 1846, p. 147-631).
Obras póstumas, Ed. nacional M. Rivadeneyra, 1867-1868, 3 vols.
Teatro, Ed. de F. Ruiz Morcuende, M., La Lectura, 1924, 302 pp. (CC. 58.)
Teatro completo, nota prel. de F. S. R. M., Aguilar, 1944, 634 pp. (Col. Crisol, 44.)
Lección poética. Sátira contra los vicios introducidos en la poesía castellana, por Melitón Fernández (seud.), M., Real Academia Española, 1782, 2 hs. + 32 pp.

La derrota de los pedantes, M., Cano, 1789, 108 pp.
La comedia nueva o el café, M., 1792, 72 pp.
— With introduction, notes and vocabulary by H. O. L. Balshaw, Londres, 1921.
— Edited with introduction, notes and vocabulary by G. W. Umphrey and W. E., Wilson, 1930, XXXI + 193 pp.
El viejo y la niña, M., Real, 1795. 2 hs. + 150 pp.
— Edited by introduction, notes and bibliography by L. B. Walton, Manchester, The University Press, 1921.
El barón, M., Villalpando, 1803. 5 hs. + 134 pp.
La mojigata, M., Villalpando, 1804, 4 hs. + 180 pp.
El sí de las niñas, M., 1805, 3 hs. + 246 p.
— Edited with introduction and notes by J. D. M. Ford, Boston, Ginn, 1916. XIV + 95 pp.
— Edited with notes, vocabulary and exercices by P. B. Burnet, Nueva York, Holt., 1918, VI + 175 pp.
— Ed. de R. Ruppert y Ujaravi. Heidelberg, Groos, 1923, VII + 111 pp.
— Introduzione e note a cura di A. Giannini. Florencia, Sansoni, 1926. XVII + 94 pp.
— Ed. de C. Pitollet, París, Hatier, 1929, XI + 96 pp. (Les Classiques pour tous.)
— Ed., estudio y notas por J. M. Alda Tesán, Zaragoza, Ebro, 1941. 125 pp. (Biblioteca Clásica Ebro.)
— Ed. M. M. Caouper, Londres, Bell, 1950. 175 pp. (Bell's Spanish Classics.)
— Annoté par L. Dubois. Nouvelle ed. Toulouse, Privat, 1958, 133 pp. (Coll. Privat.)
Cartas. Ed. de E. Varela Hervías. (R.B.A.M., IV, 1927, páginas 364-365.)
Epistolario, pról. de R. López Barroso, M., CIAP, 1929, 317 páginas.
V. además, núms. 9 288, 9 291, 9 293, 9 294 y 9 977.
Poesía lírica, pról. y sel. de F. Salvá Miquel, B. Montaner y Simón, 1945, XXIV + 252 pp. (Polimnia).
Diario, ed. de René y Mireille Andioc, Madrid, Ed. Castalia, 1968, 386 pp.
Epistolario, ed. de René Andioc, Madrid, Ed. Castalia, 1973, 768 pp.

Estudios

Revilla, J. de la: *Juicio crítico de D. L. F. de M. como autor cómico, y comparación de su mérito con el del célebre Molière*. Sevilla, 1833, 176 pp.

(Roca y Cornet, J.) Inarco Cortejano (seud.): *Juicio crítico de don L. F. de M. como autor cómico*, B. A. y F. Oliva, 1833, 58 pp.

Vida de L. F. de M. (BAE, II, 1846, pp. XXI-LXXVIII).

Borao, J.: «Juicio crítico de M.» (*RCAt*, 1, 1862, pp. 62-68, 106-114, 158-165).

Silvela, M.: «Reseña analítica de las Obras Poéticas de don L. F. de M.» (*RE*, IV, 1868, p. 23-53.)

Madrazo, P. de: «Los retratos de M.» (*IEA*, 1872, p. 391-394.)

— «Documentos sobre M.», ed. de A. Cánovas del Castillo en su obra *El Teatro español*, B.S.A., ¿1886? Apéndice, páginas 139-200.

Sepúlveda, R.: «M. Censor de comedias» (en *El Corral de la Pacheca*... M. F. Fe, 1888, cap. XIII).

(Martínez Ruiz, José) Cándido (seud.): *M. Esbozo*, M. 1893, 55 pp.

Arolas Juani, J.: *Teatro de M. Discurso*, Manresa, A. Esparbé, 1897, 48 pp.

— «Documentos sobre M.» (*RABM*, II, 1898, pp. 221-222).

Danvila, M.: «Una carta de Don L. F. de M.» (*BAH*, XXXVI, 1900, pp. 434-443).

Pérez de Guzmán, J.: «El padre de M.» (*EMod*, CXXXVIII, 1900, pp. 16-33).

Pérez de Guzmán, J.: «Estudios sobre M. la primera representación de "El sí de las niñas".» (*EMod*, 1902, núm. 168, pp. 103-137).

Ortega y Rubio, J.: *Vida y obras de D. L. F. de M.*, M., 1904, 58 pp.

Madalena, E.: *M. e Goldoni*, Capodistria, 1905, 10 pp.

Pérez de Guzmán, J.: «Los émulos de M.» (*EMod*, CXCV, 1905, pp. 41-57).

Pérez de Guzmán, J.: «El centenario de *El sí de las niñas*». (*IEA*, 1906, 1.º, pp. 35, 42, 67-68, 75, 78, 98-99, 114-115, 130-131, 134, 146-147, 169, 174, 176, 184-186.)

Vezinet, «F.: M. et Molière, Molière en Espagne» (*RHLF*, XIV, 1907, pp. 193-230; XV, 1908, p. 245-285).

OLIVER, M. S.: «Un viaje a Francia en 1792» (en *Los españoles en la Revolución francesa*. Primera serie, M., Renacimiento, 1914, pp. 9-114).

RUIZ MORCUENDE, F.: «M. dibujante» (*RBAM*, I, 1924, pp. 528-530).

EGUÍA RUIZ, C.: «M. censor censurado de nuestra escena. Nuevos datos biográficos» (*R y F*, LXXXV, 1928, pp. 119-135).

EGUÍA RUIZ, C.: «M. pretenso censor de nuestro teatro» (*R y F*, LXXXIV, 1928, pp. 275-288).

SAZ, A. DEL: «M. y su época» (*RBAM*, V, 1928, pp. 411-416).

LO VASCO, A.: «Il viaggio in Italia di L. F. de M.», Como, *La provincia di Como*, 1929, 162 pp.

SPAULDING, R. K.: «The text of M's *Orígenes del teatro español*» (*PMLA*, XLVII, 1932, p. 981-991).

GONZÁLEZ PALENCIA, A.: «Una ofuscación de M.» (*RBAM*, X, 1933, pp. 75-82).

RUIZ MORCUENDE, F.: «M., secretario de la Interpretación de Lenguas», *RBAM*, X, 1933, pp. 273-290).

SARRAILH, J.: «Note sur le *Café* de M.» (*BHi*, XXXVI, 1934, pp. 197-199).

S(ÁNCHEZ C(ANTÓN, F. J.): «M. josefino, en la Interpretación de Lenguas» (*CE*, IV, 1946, p. 122).

REIG SALVÁ, C.: «Correspondencia bibliográfica de M. a Salvá» (*CE*, I, 1940, pp. 290-292).

CONSIGLIO, C.: «M. y Goldoni» (*RFE*, XXVI, 1942, pp. 1-14, 311-314).

CABAÑAS, P.: «Documentos moratinianos» (*RBN*, IV, 1943, pp. 267-282).

CABAÑAS, P.: «M. anotador de Voltaire» (*RFE*, XXVIII, 1944, pp. 73-82).

CABAÑAS, P.: «M. y la reforma del teatro de su tiempo» (*RBN*, V, 1944, pp. 63-102).

GATTI, J. F.: «Anotaciones a *La derrota de los pedantes*» (*RFH*, VI, 1944, pp. 77-82).

RUIZ MORCUENDE, F.: *Vocabulario de don L. F. de M.*, M., Academia Española, 1945, 2 vols.

HALMAN, E. F.: «The elder M. and Goya» (*HR*, XXIII, 1955, pp. 219-230).

CASALDUERO, J.: «Forma y sentido de *El sí de las niñas*» (*NRFH*, XI, 1957, pp. 35-36).

ENTRAMBASAGUAS, J. DE: «Una carta inédita de M.» (en *Miscelánea erudita*, M., 1957, pp. 157-160).

PAPELL, A.: *M. y su época*, Palma de Mallorca, Ayuntamiento, 1958, 380 pp.

HELMAN, E. F.: «The Younger M. and Goya: On *"Duendes"* and *"Brujas"*» (*HR, XXXVII*, 1959, pp. 103-122).

DOWLIN, J. C.: «M. suplicante. La primera carta conocida de don L.» (*RABM*, LXVIII, 1960, pp. 499-505).

ENTRAMBASAGUAS, J. DE: *El Madrid de M.*, M., Instituto de Estudios Madrileños, 1960, 38 pp. con ilustr. (Temas madrileños, 20.)

ESQUER TORRES, R.: «L. F. de M. y Pastrana. Contribución al epistolario del dramaturgo del XVIII» (*RLit.*, XVIII, 1960, pp. 3-32).

HUARTE, J. M. DE: «Más sobre el epistolario de M.» (*RABM*, LXVII, 1960, pp. 505-552). Pp. 519-552: Cartas de M. a Manuel García de la Prada.

MENDOZA, J. DE D.: «Una leyenda en torno a M.» (*R y F.*, CLXII, 1960), pp. 183-192, 447-456). Sobre el carácter autobiográfico de *El sí de las niñas*.

Número dedicado a M. (*Ins*, 1960, núm. 161).

TORRE, G. DE: «Hacia una nueva imagen de M.» (*PSa.*, XVI, 1960, pp. 337-350).

ASENSIO, J.: «Estimación de M. Un manuscrito de la B. N. de París sobre *El sí de las niñas*» (*Estud.* XVII, 1961, pp. 83-144).

LÁZARO CARRETER, F.: «El afrancesamiento de M.» (*PSA, XX*, 1961, pp. 145-160).

SIMÓN DÍAZ, J.: «Don L. F. de M., opositor a cátedras» (*RFE*, XXVIII, 1944, pp. 154-176). Reed. en *Historia del Colegio Imperial de Madrid*, tomo II, M., 1959, cap. XXIII.

LÁZARO, F.: «La transmisión textual del poema de M. "Fiesta de toros en Madrid"» (*Clav.* 1953, núm. 21, pp. 33-38).

G. D.-P.

LA COMEDIA NUEVA
O EL CAFÉ

LA COMEDIA NUEVA,[1]

COMEDIA EN DOS ACTOS, EN PROSA,[2]

REPRESENTADA EN EL TEATRO DEL PRÍNCIPE, AÑO DE 1792.[3]

«ESTA comedia ofrece una pintura fiel del estado actual de nuestro teatro (dice el prólogo de su primera edición); pero ni en los personajes ni en las alusiones se hallará nadie retratado con aquella identidad que es necesaria en cualquiera copia, para que, por ella, pueda indicarse el ori-

---

1. Cuando Moratín estrena en 1792 *La comedia nueva*, ya se había dado a conocer con una obra primeriza titulada *El viejo y la niña* (1790), y por ello titula a su segunda obra «la comedia nueva» aun cuando, como veremos en seguida, la intención de Moratín no era sólo cronológica sino estética: ya que se trataba de una comedia polémica, contra el teatro anticuado y grandilocuente del período barroco, como explica el autor en seguida. La otra novedad era el título que era doble: *La comedia nueva* o *El café*, establecimiento que se puso de moda en aquella época, gracias a la importación del famoso vegetal procedente de Arabia. Pero «el café» era algo más: el lugar democrático de reunión que sustituía a los encopetados «salones» aristocráticos. El café es un parlamento vivo y popular donde se habla de política, de toros y naturalmente de literatura: escenario adecuado para comentar las nuevas tendencias del teatro español: Obsérvese finalmente que el título *El viejo y la niña* marca el choque generacional que tanto interesaba a Moratín.

2. Otra novedad de la obra estriba en la división «en dos actos» muy útil cuando se trataba de concentrar la acción dentro de un marco unitario, para conseguir la «unidad de tiempo», básica dentro de la teoría neoclásica de «las tres unidades». Y, por supuesto, tenía análogo sentido revolucionario la indicación «en prosa», ya que este vehículo expresivo conseguía la «naturalidad» frente al alambicamiento expresivo del teatro «barroco».

3. El estreno de la obra fue muy accidentado, ya que los partidarios del teatro al uso —del teatro barroco— comprendieron que Moratín los iba a convertir en blanco de sus sátiras y conspiraron lo indecible para impedir su representación.

ginal. Procuró el autor, así en la formación de la fábula como en la elección de los caracteres, imitar la naturaleza en lo universal, formando de muchos un solo individuo.» [4]

En el prólogo que precede a la edición de Parma se dice: «De muchos escritores ignorantes que abastecen nuestra escena de comedias desatinadas, de sainetes groseros, de tonadillas necias y escandalosas, formó un don Eleuterio; de muchas mujeres sabidillas y fastidiosas, una doña Agustina; de muchos pedantes erizados, locuaces, presumidos de saberlo todo, un don Hermógenes; de muchas farsas monstruosas, llenas de disertaciones morales, soliloquios furiosos, hambre calagurritana, revista de ejércitos, batallas, tempestades, bombazos y humo, formó *El gran cerco de Viena*; pero ni aquellos personajes ni esta pieza existen.» [5]

Don Eleuterio es, en efecto, el compendio de todos los malos poetas dramáticos que escribían en aquella época, y la comedia de que se le supone autor, un monstruo imaginario, compuesto de todas las extravagancias que se representaban entonces en los teatros de Madrid. Si en esta obra se hubiesen ridiculizado los desaciertos de Cañizares, Añorbe o Zamora, inútil ocupación hubiera sido censurar a quien ya no podía enmendarse, ni defenderse. Las circunstancias de tiempo y lugar, que tanto abundan en esta pieza, deben ya necesariamente hacerla perder una parte del aprecio público, por haber desaparecido o alterádose los originales que imitó; pero el trascurso mismo del tiempo la hará más estimable a los que apetezcan adquirir conocimiento del estado en que se hallaba nuestra dramática en los veinte años últimos del siglo anterior.[6] Llegará sin duda la época en que de-

---

4. Véase lo que hemos escrito en torno a las tres unidades.
5. Véase adelante lo que decimos de la escenografía de la época.
6. Prosigue el prólogo de la edición de 1792: «Además de ser éste el medio de imitación que practican todas las artes, es el más inocente, cuando han de expresar objetos de formas; pues reuniendo en un solo sujeto circunstancias que sólo se hallan esparcidas en muchos, resulta la pintura con toda la expresión característica que es conveniente, y al mismo tiempo carece de aquella semejanza individual (odiosa sin duda), y que es propia sólo de quien retrata, y no de quien inventa.

»El fin moral de esta comedia es harto manifiesto; y en cuanto al artificio de ella, las situaciones, episodios, estilo y otros requisitos, nada hay que decir, puesto que el público debe juzgarla, y no es conveniente anticipar en tales casos ni las disculpas ni los elogios. Baste sólo advertir, que esta obra se publica en circunstancias las más fa-

saparezca de la escena (que en el género cómico sólo sufre la pintura de los vicios y errores vigentes); pero será un monumento de historia literaria, único en su género, y no indigno tal vez de la estimación de los doctos.

Luego que el autor se la leyó a la compañía de Ribera, que la debía representar, empezaron a conmoverse los apasionados de la compañía de Martínez. Cómicos, músicos, poetas, todos hicieron causa común; creyendo que de la representación de ella resultaría su total descrédito y la ruina de sus intereses. Dijeron que era un sainete largo, un diálogo insulso, una sátira, un libro infamatorio; y bajo este concepto se hicieron reclamaciones enérgicas al gobierno para que no permitiera su publicación. Intervino en su examen la autoridad del presidente del consejo, la del corregidor de Madrid y la del vicario eclesiástico; sufrió cinco censuras, y resultó de todas ellas que no era un libelo, sino una comedia escrita con arte, capaz de producir efectos muy útiles en la reforma del teatro. Los cómicos la estudiaron con esmero

---

vorables para esperar de ella todo el efecto que es capaz de producir.

»Muchas veces las resoluciones más justas, dirigidas a corregir los abusos que autorizó la costumbre o la ignorancia, suelen hallar una resistencia invencible en la opinión pública; y si ésta no se rectifica, aquéllas se inutilizan y se desprecian.

»Una parte muy numerosa de la nación ve con dolor el abandono de nuestro teatro; desea que una mano poderosa remueva los obstáculos que impiden su adelantamiento; y no en vano se lisonjea de que, abierto el paso a las luces, los buenos ingenios se dedicarán a seguir una carrera tan nueva y tan gloriosa, para honor de la patria y utilidad común.

»Si hay, no obstante, una clase de gentes, a quienes la falta de principios, la indolencia, el interés y otras pequeñas pasiones hacen obstinadas en el error, contra ellas se dirige la censura. ¿Y qué otro medio se hallaría más conveniente que el de presentar en el teatro, castigados y expuestos al desprecio general, los vicios del teatro mismo? ¿Qué otra respuesta puede darse a los que atribuyen al mal gusto de toda una nación la decadencia de nuestra poesía dramática, que ridiculizarlos y confundirlos a los ojos de la misma nación ofendida por ellos? ¿Y qué mayor servicio podrá hacer un escritor que el de explorar la opinión pública, rectificarla con sólidas doctrinas, y facilitar al gobierno por este medio la más pronta ejecución de sus ideas?

»Tales reflexiones animaron al autor de esta obra; y si considera que la corrección del teatro está en manos de quien, uniendo al poder la ilustración y el celo, prepara a las letras nuevo esplendor y prosperidad, ¿cómo no despreciará los clamores vanos de la ignorancia? ¿Y cómo no se complacerá con el público español de haber contribuido, en el modo que le fue posible, a que se verifique esta revolución feliz, que ya no puede mirar como distante?»

particular, y se acercaba el día de hacerla. Los que habían dicho antes que era un diálogo insípido, temiendo que tal vez no le pareciese al público tan mal como a ellos, trataron de juntarse en gran número, y acabar con ella en su primera representación, la cual se verificó en el teatro del Príncipe el día 7 de febrero de 1792.[7]

El concurso la oía con atención, sólo interrumpida por sus mismos aplausos; los que habían de silbarla no hallaban la ocasión de empezar, y su desesperación llegó al extremo, cuando creyeron ver su retrato en la pintura que hace don Serapio de la ignorante plebe que en aquel tiempo favorecía o desacreditaba el mérito de las piezas y de los actores, y tiranizando el teatro, concedía su protección a quien más se esmeraba en solicitarla por los medios que allí se indican. El patio recibió la lección áspera que se le daba con toda la indignación que era de temer en quien iba tan mal dispuesto a recibirla; lo restante del auditorio logró imponer silencio a aquella irritada muchedumbre, y los cómicos siguieron más animados desde entonces, y con más seguridad del éxito. Al exclamar don Eleuterio en la escena VII del acto segundo: *¡Picarones! ¿Cuándo han visto ellos comedia mejor?* supo decirlo el actor que desempeñaba este papel con expresión tan oportunamente equívoca, que la mayor parte del concurso (aplicando aquellas palabras a lo que estaba sucediendo) interrumpió con aplausos la representación. La turba de los conjurados perdió la esperanza y el ánimo, y el general aprecio que obtuvo en aquel día esta comedia no pudo ser más conforme a los deseos del autor.[8]

Manuel Torres sobresalió en el papel de don Pedro, dándole toda la nobleza y expresión que pide; Juana García, en el de doña Mariquita, mereció general estimación, nada dejó que desear, y dio a las tareas de los artífices asunto digno; Polonia Rachel representó con acierto la presunción necia de doña Agustina; el excelente actor Mariano Querol pintó en don Hermógenes un completo pedante, escogido entre los muchos que pudo imitar; Manuel García Parra excitó el en-

---

7. Prólogo citado.
8. Las noticias que ofrecemos de la noche del estreno nos permiten comprender que constituyó un acontecimiento estético que, en cierto modo, podría compararse al famoso estreno de *Hernani* de Victor Hugo que sirvió de punto de partida para el teatro del Romanticismo europeo.

tusiasmo del público en su papel de don Eleuterio: la voz, el gesto, los ademanes, el traje, todo fue tan acomodado al carácter que representó, que parecía en él naturaleza lo que era estudio.

LA COMEDIA NUEVA

PERSONAS

Don Eleuterio
Doña Agustina
Doña Mariquita
Don Hermógenes
Don Pedro
Don Antonio
Don Serapio
Pipí

La escena es en un café de Madrid, inmediato a un teatro.

El teatro representa una sala con mesas, sillas y aparador de café; en el foro una puerta con escalera a la habitación principal, y otra puerta a un lado, que da paso a la calle.

La acción empieza a las cuatro de la tarde y acaba a las seis. [9]

9. Obsérvese cómo, desde el primer momento, Moratín hace notar la acción de la llamada «*unidad de tiempo*», por la cual la duración de la acción evocada debe ser pareja a la que tendría en la realidad, ya que el «principio de la verosimilitud» impedía que, como en el teatro barroco, pudiera transcurrir un tiempo imaginario entre dos escenas.

ACTO PRIMERO

ESCENA PRIMERA

Don Antonio, Pipí

(Don Antonio sentado junto a una mesa, Pipí paseándose.)

DON ANTONIO

Parece que se hunde el techo. Pipí.

PIPÍ

Señor.

DON ANTONIO

¿Qué gente hay arriba, que anda tal estrépito? ¿Son locos?

PIPÍ

No, señor; poetas.

DON ANTONIO

¿Cómo poetas?

PIPÍ

Sí, señor; ¡así lo fuera yo! ¡No es cosa! Y han tenido una gran comida. Burdeos, pajarete, marrasquino; ¡uh!

DON ANTONIO

¿Y con qué motivo se hace esa francachela?

PIPÍ

Yo no sé; pero supongo que será en celebridad de la comedia nueva que se representa esta tarde, escrita por uno de ellos.

DON ANTONIO

¿Conque han hecho una comedia? ¡Haya picarillos!

PIPÍ

Pues qué, ¿no lo sabía usted?

DON ANTONIO

No, por cierto.

PIPÍ

Pues ahí está el anuncio en el *Diario*.

DON ANTONIO

En efecto, aquí está. *(Leyendo en el Diario que está sobre la mesa.)*: COMEDIA NUEVA INTITULADA: EL GRAN CERCO DE VIENA. ¡No es cosa! Del sitio de una ciudad hacen una comedia. ¡Si son el diantre! ¡Ay, amigo Pipí! ¡Cuánto más vale ser mozo de café que poeta ridículo!

PIPÍ

Pues mire usted, la verdad, yo me alegrara de saber hacer, así, alguna cosa...

DON ANTONIO

¿Cómo?

PIPÍ

Así, de versos... ¡Me gustan tanto los versos!

DON ANTONIO

¡Oh, los buenos versos son muy estimables; pero hoy día son tan pocos los que saben hacerlos, tan pocos, tan pocos...

PIPÍ

No, pues los de arriba bien se conoce que son del arte. ¡Válgame Dios! ¡Cuántos han echado por aquella boca! Hasta las mujeres.

DON ANTONIO

¡Oiga! ¿También las señoras decían coplillas?

PIPÍ

¡Vaya! Allí hay una doña Agustina, que es mujer del autor de la comedia... ¡Qué! Si usted viera... Unas décimas componía de repente... No es así la otra, que en toda la mesa no ha hecho más que retozar con aquel don Hermógenes, y tirarle miguitas de pan al peluquín.

Don Antonio

¿Don Hermógenes está arriba? ¡Gran pedantón!

Pipí

Pues con ése se estaba jugando; y cuando la decían: «Mariquita, una copla, vaya una copla», se hacía la vergonzosa; y por más que la estuvieron azuzando a ver si rompía, nada. Empezó una décima, y no la pudo acabar, porque decía que no encontraba el consonante; pero doña Agustina, su cuñada... ¡Oh!, aquélla, sí. Mire usted lo que es... Ya se ve, en teniendo vena...

Don Antonio

Seguramente. ¿Y quién es ese que cantaba poco ha, y daba aquellos gritos tan descompasados?

Pipí

¡Oh!, ése es don Serapio.

Don Antonio

Pero ¿qué es? ¿Qué ocupación tiene?

Pipí

Él es... Mire usted; a él le llaman don Serapio.

Don Antonio

¡Ah!, sí. Ése es aquel bulle bulle que hace gestos a las cómicas, y las tira dulces a la silla cuando pasan, y va todos los días a saber quién dio cuchillada; y desde que se levanta hasta que se acuesta no cesa de hablar de la temporada de verano, la chupa del sobresaliente, y las partes de por medio.

Pipí

Ese mismo. ¡Oh!, ése es de los apasianados finos. Aquí se viene todas las mañanas a desayunar; y arma unas disputas con los peluqueros, que es un gusto oírle. Luego se va allá abajo, al barrio de Jesús; se junta con cuatro amigos, hablan de comedias, altercan, ríen, fuman en los portales; don Serapio los introduce aquí y acullá hasta que da la una; se despiden, y él se va a comer con el apuntador.

Don Antonio

¿Y ese don Serapio es amigo del autor de la comedia?

Pipí

¡Toma! Son uña y carne. Y él ha compuesto el casamiento de doña Mariquita, la hermana del poeta, con don Hermógenes.

Don Antonio

¿Qué me dices? ¿Don Hermógenes se casa?

Pipí

¡Vaya si se casa! Como que parece que la boda no se ha hecho ya porque el novio no tiene un cuarto ni el poeta tampoco; pero le ha dicho que con el dinero que le den por esta comedia, y lo que ganará en la impresión, les pondrá la casa y pagará las deudas de don Hermógenes, que parece que son bastantes.

Don Antonio

Si serán. ¡Cáspita si serán! Pero, y si la comedia apesta, y por consecuencia ni se la pagan ni se vende, ¿qué harán entonces?

Pipí

Entonces, ¿qué sé yo? Pero, ¡qué! No, señor. Si dice don Serapio que comedia mejor no se ha visto en tablas.

Don Antonio

¡Ah! Pues si don Serapio lo dice, no hay que temer. Es dinero contante, sin remedio. Figúrate tú si don Serapio y el apuntador sabrán muy bien dónde les aprieta el zapato, y cuál comedia es buena, y cuál deja de serlo.

Pipí

Eso digo yo; pero a veces... Mire usted, no hay paciencia. Ayer, ¡qué!, les hubiera dado con una tranca. Vinieron ahí tres o cuatro a beber *ponch*, y empezaron a hablar de comedias; ¡vaya! Yo no me puedo acordar de lo que decían. Para ellos no había nada bueno: ni autores, ni cómicos, ni vestidos, ni música, ni teatro. ¿Qué sé yo cuánto dijeron aquellos malditos? Y dale con el arte, el arte, la moral, y... Deje usted las... ¿Si me acordaré? Las... ¡Válgame Dios! ¿Cómo decían? Las... las reglas... ¿Qué son las reglas?

Don Antonio

Hombre, difícil es explicártelo. Reglas son unas cosas que usan allá los extranjeros, particularmente los franceses.

Pipí

Pues, ya decía yo: esto no es cosa de mi tierra.

Don Antonio

Sí tal: aquí también se gastan, y algunos han escrito comedias con reglas; bien que no llegarán a media docena (por mucho que se estire la cuenta), las que se han compuesto.

Pipí

Pues ya se ve; mire usted, ¡reglas! No faltaba más. ¿A que no tiene reglas la comedia de hoy?

Don Antonio

¡Oh!, eso yo te lo fío: bien puedes apostar ciento contra uno a que no las tiene.

Pipí

Y las demás que van saliendo cada día tampoco las tendrán; ¿no es verdad usted?

Don Antonio

Tampoco. ¿Para qué? No faltaba otra cosa, sino que para hacer una comedia se gastaran reglas. No, señor.

Pipí

Bien; me alegro. Dios quiera que pegue la de hoy, y luego verá usted cuántas escribe el bueno de don Eleuterio. Porque, lo que él dice: si yo me pudiera ajustar con los cómicos a jornal, entonces... ¡ya se ve! Mire usted si con un buen situado, podía él...

Don Antonio

Cierto. (*Ap.* ¡Qué simplicidad.)

Pipí

Entonces escribiría. ¡Qué! Todos los meses sacaría dos o tres comedias. Como es tan hábil...

Don Antonio
Conque es muy hábil, ¿eh?

Pipí
¡Toma! Poquito le quiere el segundo barba; y si en el consistiera, ya se hubieran echado las cuatro o cinco comedias que tiene escritas; pero no han querido los otros; y ya se ve, como ellos lo pagan... En diciendo: no nos ha gustado, o así, andar ¡qué diantres! Y luego, como ellos saben lo que es bueno; y en fin, mire usted si ellos... ¿No es verdad?

Don Antonio
Pues ya.

Pipí
Pero deje usted, que aunque es la primera que le representan, me parece a mí que ha de dar golpe.

Don Antonio
¿Conque es la primera?

Pipí
La primera. ¡Si es mozo todavía! Yo me acuerdo... Habrá cuatro o cinco años que estaba de escribiente ahí, en esa lotería de la esquina, y le iba muy ricamente; pero como después se hizo paje, y el amo se le murió a lo mejor, y él se había casado de secreto con la doncella, y tenían ya dos criaturas, y después le han nacido otras dos o tres; viéndose él así, sin oficio ni beneficio, ni pariente ni habiente, ha cogido y se ha hecho poeta.

Don Antonio
Y ha hecho muy bien.

Pipí
¡Pues ya se ve! Lo que él dice: si me sopla la musa, puedo ganar un pedazo de pan para mantener aquellos angelitos, y así ir trampeando hasta que Dios quiera abrir camino.

ESCENA II

Don Pedro, Don Antonio, Pipí

Don Pedro

Café.
*(Don Pedro se sienta junto a una mesa distante de
don Antonio; Pipí le servirá el café.)*

Pipí

Al instante.

Don Antonio

No me ha visto.

Pipí

¿Con leche?

Don Pedro

No... Basta.

Pipí

¿Quién es éste?
*(Al retirarse después de haber servido el café a don
Pedro.)*

Don Antonio

Éste es don Pedro de Aguilar, hombre muy rico, generoso, honrado, de mucho talento; pero de una carácter tan
ingenuo, tan serio y tan duro, que le hace intratable a cuantos no son sus amigos.[10]

Pipí

Le veo venir aquí algunas veces, pero nunca habla, siempre está de mal humor.

10. Este personaje razonable y simpático es, sin duda, reflejo de
la personalidad del propio Moratín, como comprobaremos más adelante.

ESCENA III

Don Serapio, Don Eleuterio, Don Pedro, Don Antonio, Pipí

Don Serapio

¡Pero, hombre, dejarnos así!
(Bajando la escalera, salen por la puerta del foro.)

Don Eleuterio

Si se lo he dicho a usted ya. La tonadilla que han puesto a mi función no vale nada, la van a silbar, y quiero concluir esta mía para que la canten mañana.

Don Serapio

¿Mañana? ¿Conque mañana se ha de cantar, y aún no están hechas ni letra ni música?

Don Eleuterio

Y aun esta tarde pudieran cantarla, si usted me apura. ¿Qué dificultad? Ocho o diez versos de introducción, diciendo que callen y atiendan, y chitito. Después unas cuantas coplillas del mercader que hurta, el peluquero que lleva papeles, la niña que está opilada, el cadete que se baldó en el portal, cuatro equivoquillos, etc.; y luego se concluye con seguidillas de la tempestad, el canario, la pastorcilla y el arroyito. La música ya se sabe cuál ha de ser: la que se pone en todas; se añade o se quita un par de gorgoritos, y estamos al cabo de la calle.[11]

Don Serapio

¡El diantre es usted, hombre! Todo se lo halla hecho.

Don Eleuterio

Voy, voy a ver si la concluyo; falta muy poco. Súbase usted.

11. Don Eleuterio Crispín de Andorra es una caricatura viviente del autor don Luciano Francisco Comella, a quien Moratín describe todas las ridículas exageraciones del teatro barroco.

(Don Eleuterio se sienta junto a una mesa inmediata al foro; saca de la faltriquera papel y tintero, y escribe.)

DON SERAPIO

Voy allá; pero...

DON ELEUTERIO

Sí, sí, váyase usted; y si quieren más licor, que lo suba el mozo.

DON SERAPIO

Sí, siempre será bueno que lleven un par de frasquillos más. Pipí.

PIPÍ

¡Señor!

DON SERAPIO

Palabra.

(Don Serapio habla en secreto a Pipí, y vuelve a irse por la puerta del foro; Pipí toma del aparador unos frasquillos, y se va por la misma parte.)

DON ANTONIO

¿Cómo va, amigo don Pedro?

(Don Antonio se sienta cerca de don Pedro.)

DON PEDRO

¡Oh, señor don Antonio! No había reparado en usted. Va bien.

DON ANTONIO

¿Usted a estas horas por aquí? Se me hace extraño.

DON PEDRO

En efecto lo es; pero he comido ahí cerca. A fin de mesa se armó una disputa entre dos literatos que apenas si saben leer; dijeron mil despropósitos, me fastidié, y me vine.

DON ANTONIO

Pues con ese genio tan raro que usted tiene, se ve precisado a vivir como un ermitaño en medio de la corte.

DON PEDRO

No, por cierto. Yo soy el primero en los espectáculos, en los paseos, en las diversiones públicas; alterno los placeres con el estudio; tengo pocos, pero buenos amigos, y a ellos debo los más felices instantes de mi vida. Si en las concurrencias particulares soy raro algunas veces, siento serlo; pero, ¿qué le he de hacer? Yo no quiero mentir ni puedo disimular; y creo que el decir la verdad francamente es la prenda más digna de un hombre de bien.

DON ANTONIO

Sí; pero cuando la verdad es dura a quien ha de oírla, ¿qué hace usted?

DON PEDRO

Callo.

DON ANTONIO

¿Y si el silencio de usted le hace sospechoso?

DON PEDRO

Me voy.

DON ANTONIO

No siempre puede uno dejar el puesto, y entonces...

DON PEDRO

Entonces digo la verdad.

DON ANTONIO

Aquí mismo he oído hablar muchas veces de usted. Todos aprecian su talento, su instrucción y su probidad; pero no dejan de extrañar la aspereza de su carácter.

DON PEDRO

¿Y por qué? Porque no vengo a predicar al café; porque no vierto por la noche lo que leí por la mañana; porque no disputo, ni ostento erudición ridícula, como tres, o cuatro, o diez pedantes que vienen aquí a perder el día, y a excitar la admiración de los tontos y la risa de los hombres de juicio. ¿Por eso me llaman áspero y extravagante? Poco me importa. Yo me hallo bien con la opinión que he seguido hasta aquí, de que en un café jamás debe hablar en público el que sea prudente.

DON ANTONIO

Pues ¿qué debe hacer?

Don Pedro
Tomar café.

Don Antonio
¡Viva! Pero hablando de otra cosa, ¿qué plan tiene usted para esta tarde?

Don Pedro
A la comedia.

Don Antonio
¿Supongo que irá usted a ver la pieza nueva?

Don Pedro
¿Qué? ¿Han mudado? Ya no voy.

Don Antonio
Pero, ¿por qué? Vea usted sus rarezas.

(Pipí sale por la puerta del foro con salvilla, copas y frasquillos, que dejará sobre el mostrador.)

Don Pedro
¿Y usted me pregunta por qué? ¿Hay más que ver la lista de las comedias nuevas que se representan cada año, para inferir los motivos que tendré de no ver la de esta tarde?

Don Eleuterio
¡Hola! Parece que hablan de mi función.

(Escuchando la conversación de don Antonio y don Pedro.)

Don Antonio
De suerte que o es buena, o es mala. Si es buena, se admira y se aplaude; si por el contrario, está llena de sandeces, se ríe uno, se pasa el rato, y tal vez...

Don Pedro
Tal vez me han dado impulsos de tirar al teatro el sombrero, el bastón y el asiento, si hubiera podido. A mí me irrita lo que a usted le divierte. *(Guarda don Eleuterio papel y tintero; se levanta, y se va acercando poco a poco, hasta ponerse en medio de los dos.)* Yo no sé; usted tiene talento y la instrucción necesaria para no equivocarse en materias de literatura; pero usted es el protector nato de todas las ridiculeces. Al paso que conoce usted y elogia las bellezas de una obra de mérito, no se detiene en dar iguales

aplausos a lo más disparatado y absurdo; y con una rociada
de pullas, chufletas e ironías, hace usted creer al mayor idio-
ta que es un prodigio de habilidad. Ya se ve, usted dirá que
se divierte; pero, amigo...

DON ANTONIO

Sí, señor, que me divierto. Y por otra parte, ¿no sería cosa
cruel ir repartiendo por ahí desengaños amargos a ciertos
hombres cuya felicidad estriba en su propia ignorancia? ¿Ni
cómo es posible persuardirles...?

DON ELEUTERIO

No, pues... Con permiso de ustedes. La función de esta
tarde es muy bonita, seguramente; bien puede usted ir a
verla, que yo le doy mi palabra de que le ha de gustar.

DON ANTONIO

¿Es éste el autor?
    *(Don Antonio se levanta, y después de la pregunta
que hace a Pipí, vuelve a hablar con don Eleuterio.)*

PIPÍ

El mismo.

DON ANTONIO

¿Y de quién es? ¿Se sabe?

DON ELEUTERIO

Señor, es de un sujeto bien nacido, muy aplicado, de buen
ingenio, que empieza ahora la carrera cómica; bien que el
pobrecillo no tiene protección.

DON PEDRO

Si es ésta la primera pieza que da al teatro, aún no
puede quejarse; si ella es buena, agradará necesariamente,
y un gobierno ilustrado como el nuestro, que sabe cuánto
interesan a una nación los progresos de la literatura, no
dejará sin premio a cualquiera hombre de talento que so-
bresalga en un género tan difícil.[12]

12. Recuérdese que Moratín intervino en la política de renovación
del teatro, iniciada en los tiempos de Carlos III.

Don Eleuterio

Todo eso va bien; pero lo cierto es que el sujeto tendrá que contentarse con sus quince doblones que le darán los cómicos (si la comedia gusta), y muchas gracias.

Don Antonio

¿Quince? Pues yo creí que eran veinticinco.

Don Eleuterio

No, señor, ahora en tiempo de calor no se da más. Si fuera por el invierno, entonces...

Don Antonio

¡Calle! ¿Conque en empezando a helar valen más las comedias? Lo mismo sucede con los besugos.

(Don Antonio se pasea. Don Eleuterio unas veces le dirige la palabra y otras se vuelve hacia don Pedro, que no le contesta ni le mira. Vuelve a hablar con don Antonio, parándose o siguiéndole; lo cual formará juego de teatro.)

Don Eleuterio

Pues mire usted, aun con ser tan poco lo que dan, el autor se ajustaría de buena gana para hacer por el precio todas las funciones que necesitase la compañía; pero hay muchas envidias. Unos favorecen a éste, otros a aquél, y es menester una tecla para mantenerse en la gracia de los primeros vocales, que... ¡Ya, ya! Y luego, como son tantos a escribir, y cada uno procura despachar su género, entran los empeños, las gratificaciones, las rebajas... Ahora mismo acaba de llegar un estudiante gallego con unas alforjas llenas de piezas manuscritas: comedias, follas, zarzuelas, dramas, melodramas, loas, sainetes... ¿Qué sé yo cuánta ensalada trae allí? Y anda solicitando que los cómicos le compren todo el surtido, y da cada obra a trescientos reales una con otra. ¡Ya se ve! ¿Quién ha de poder competir con un hombre que trabaja tan barato?

Don Antonio

Es verdad, amigo. Ese estudiante gallego hará malísima obra a los autores de la corte.

Don Eleuterio
Malísima. Ya ve usted cómo están los comestibles.

Don Antonio
Cierto.

Don Eleuterio
Lo que cuesta un mal vestido que uno se haga.

Don Antonio
En efecto.

Don Eleuterio
El cuarto.

Don Antonio
¡Oh!, sí, el cuarto. Los caseros son crueles.

Don Eleuterio
Y si hay familia...

Don Antonio
No hay duda; si hay familia es cosa terrible.

Don Eleuterio
Vaya usted a competir con el otro tuno, que con seis cuartos de callos y medio pan tiene el gasto hecho.

Don Antonio
¿Y qué remedio? Ahí no hay más sino arrimar el hombro al trabajo, escribir buenas piezas, darlas muy baratas, que se representen, que aturdan al público, y ver si se puede dar con el gallego en tierra. Bien que la de esta tarde es excelente, y para mí tengo que...

Don Eleuterio
¿La ha leído usted?

Don Antonio
No, por cierto.

Don Pedro
¿La han impreso?

Don Eleuterio
Sí, señor. ¿Pues no se había de imprimir?

Don Pedro
Mal hecho. Mientras no sufra el examen del público en el teatro, está muy expuesta; y sobre todo, es demasiada confianza en un autor novel.

Don Antonio
¡Qué! No, señor. Si le digo a usted que es cosa muy buena. ¿Y dónde se vende?

Don Eleuterio
Se vende en los puestos del *Diario*, en la librería de Pérez, en la de Izquierdo, en la de Gil, en la de Zurita, y en el puesto de los cobradores a la entrada del coliseo. Se vende también en la tienda de vinos de la calle del Pez, en la del herbolario de la calle Ancha, en la jabonería de la calle del Lobo, en la...

Don Pedro
¿Se acabará esta tarde esa relación?

Don Eleuterio
Como el señor preguntaba.

Don Pedro
Pero no preguntaba tanto. ¡Si no hay paciencia!

Don Antonio
Pues la he de comprar, no tiene remedio.

Pipí
Si yo tuviera dos reales. ¡Voto va!

Don Eleuterio
Véala usted aquí.
(Saca una comedia impresa, y se la da a don Antonio.)

Don Antonio
¡Oiga!, es ésta. A ver. Y ha puesto su nombre. Bien, así me gusta; con eso la posteridad no se andará dando de calabazadas por averiguar la gracia del autor. *(Lee don Antonio.)* Por don Eleuterio Crispín de Andorra... Salen el emperador Leopoldo, el rey de Polonia y Federico, senescal, vestidos de gala, con acompañamiento de damas y magnates,

y una brigada de húsares a caballo.» ¡Soberbia entrada! «Y
dice el emperador:

> Ya sabéis, vasallos míos,
> Que habrá dos meses y medio
> Que el turco puso a Viena
> Con sus tropas el asedio,
> Y que para resistirle
> Unimos nuestros denuedos,
> Dando nuestros nobles bríos,
> En repetidos encuentros,
> Las pruebas más relevantes
> De nuestros invictos pechos.»

¡Qué estilo tiene! ¡Cáspita! ¡Qué bien pone la pluma el
pícaro!

> «Bien conozco que la falta
> Del necesario alimento
> Ha sido tal, que rendidos
> De la hambre a los esfuerzos,
> Hemos comido ratones,
> Sapos y sucios insectos.»

DON ELEUTERIO

¿Qué tal? ¿No le parece a usted bien?
(Hablando a don Pedro.)

DON PEDRO

¡Eh!, a mí, qué...

DON ELEUTERIO

Me alegro que le guste a usted. Pero no; donde hay un
paso muy fuerte es al principio del segundo acto. Búsquele
usted... ahí... por ahí ha de estar. Cuando la dama se cae
muerta de hambre.

DON ANTONIO

¿Muerta?

DON ELEUTERIO

Sí, señor, muerta.

Don Antonio
¡Qué situación tan cómica! Y estas exclamaciones que hace aquí, ¿contra quién son?

Don Eleuterio
Contra el visir, que la tuvo seis días sin comer, porque ella no quería ser su concubina.

Don Antonio
¡Pobrecita! ¡Ya se ve! El visir sería un bruto.

Don Eleuterio
Sí, señor.
Don Antonio
Hombre arrebatado, ¿eh?

Don Eleuterio
Sí, señor.
Don Antonio
Lascivo como un mico, feote de cara; ¿es verdad?

Don Eleuterio
Cierto.
Don Antonio
Alto, moreno, un poco bizco, grandes bigotes.

Don Eleuterio
Sí, señor, sí. Lo mismo me le he figurado yo.

Don Antonio
¡Enorme animal! Pues no, la dama no se muerde la lengua. ¡No es cosa cómo le pone! Oiga usted, don Pedro.

Don Pedro
No, por Dios; no lo lea usted.

Don Eleuterio
Es que es uno de los pedazos más terribles de la comedia.
Don Pedro
Con todo eso.

DON ELEUTERIO

Lleno de fuego.

DON PEDRO

Ya.

DON ELEUTERIO

Buena versificación.

DON PEDRO

No importa.

DON ELEUTERIO

Que alborotará en el teatro, si la dama lo esfuerza.

DON PEDRO

Hombre, si he dicho ya que...

DON ANTONIO

Pero a lo menos, el final del acto segundo es menester oírle.

(Lee don Antonio, y al acabar da la comedia a don Eleuterio.)

Emperador.	Y en tanto que mis recelos...
Visir.	Y mientras mis esperanzas...
Senescal.	Y hasta que mis enemigos...
Emperador.	Averiguo.
Visir.	Logre.
Senescal.	Caigan.
Emperador.	Rencores, dadme favor.
Visir.	No me dejes, tolerancia.
Senescal.	Denuedo, asiste a mi brazo.
Todos.	Para que admire la patria
	El más generoso ardid
	Y la más tremenda hazaña.

DON PEDRO

Vamos; no hay quien pueda sufrir tanto disparate.
(Se levanta impaciente, en ademán de irse.)

DON ELEUTERIO

¿Disparates los llama usted?

Don Pedro
¿Pues no?
(Don Antonio observa a don Eleuterio y a don Pedro, y se ríe de entrambos.)

Don Eleuterio
¡Vaya, que es también demasiado! ¡Disparates! ¡Pues no, no los llaman disparates los hombres inteligentes que han leído la comedia! Cierto que me ha chocado. ¡Disparates! Y no se ve otra cosa en el teatro todos los días, y siempre gusta, y siempre lo aplauden a rabiar.

Don Pedro
¿Y esto se representa en una nación culta?

Don Eleuterio
¡Cuenta, que me ha dejado contento la expresión! ¡Disparates!

Don Pedro
¿Y esto se imprime, para que los extranjeros se burlen de nosotros?

Don Eleuterio
¡Llamar disparates a una especie de coro entre el emperador, el visir y el senescal! Yo no sé qué quieren estas gentes. Si hoy día no se puede escribir nada, nada que no se muerda y se censure. ¡Disparates! ¡Cuidado que!...

Pipí
No haga usted caso.

Don Eleuterio
(Hablando con Pipí hasta el fin de la escena.)
Yo no hago caso; pero me enfada que hablen así. Figúrate tú si la conclusión puede ser más natural, ni más ingeniosa. El emperador está lleno de miedo, por un papel que se ha encontrado en el suelo sin firma ni sobrescrito, en que se trata de matarle. El visir está rabiando por gozar de la hermosura de Margarita, hija del conde de Strambangaum, que es el traidor...

Pipí
¡Calle! ¡Hay traidor también! ¡Cómo me gustan a mí las comedias en que hay traidor!

Don Eleuterio

Pues, como digo, el visir está loco de amores por ella; el senescal, que es hombre de bien si los hay, no las tiene todas consigo, porque sabe que el conde anda tras de quitarle el empleo, y continuamente lleva chismes al emperador contra él; de modo, que como cada uno de estos tres personajes está ocupado en su asunto, habla de ello, y no hay cosa más natural.

(Lee don Eleuterio; lo suspende, y se guarda la comedia.)

> Y en tanto que mis recelos...
> Y mientras mis esperanzas...
> Y hasta que mis...

¡Ah, señor don Hermógenes! ¡A qué buena ocasión llega usted!

(Sale don Hermógenes por la puerta del foro.)

ESCENA IV

Don Hermógenes, Don Eleuterio, Don Pedro, Don Antonio, Pipí

Don Hermógenes [13]

Buenas tardes, señores.

Don Pedro

A la orden de usted.

Don Antonio

Felicísimas, amigo don Hermógenes.

Don Eleuterio

Digo, me parece que el señor don Hermógenes será juez muy abonado *(Don Pedro se acerca a la mesa en que está*

---

13. Don Hermógenes es otro ejemplo de caricatura literaria, en la que Moratín se burla de un crítico pedante de la época: don Cristóbal Cladera, en cuyos labios pone Moratín aforismos en latín y griego.

el Diario; *lee para sí, y a veces presta atención a lo que hablan los demás)* para decidir la cuestión que se trata: todo el mundo sabe su instrucción y lo que ha trabajado en los papeles periódicos, las traducciones que ha hecho del francés, sus actos literarios, y, sobre todo, la escrupulosidad y el rigor con que censura las obras ajenas. Pues yo quiero que nos diga...

DON HERMÓGENES

Usted me confunde con elogios que no merezco, señor don Eleuterio. Usted solo es acreedor a toda alabanza, por haber llegado en su edad juvenil al pináculo del saber. Su ingenio de usted, el más ameno de nuestros días, su profunda erudición, su delicado gusto en el arte rítmica, su...

DON ELEUTERIO

Vaya, dejemos eso.

DON HERMÓGENES

Su docilidad, su moderación...

DON ELEUTERIO

Bien; pero aquí se trata solamente de saber si...

DON HERMÓGENES

Estas prendas sí que merecen admiración y encomio.

DON ELEUTERIO

Ya, eso sí; pero díganos usted lisa y llanamente si la comedia que hoy se representa es disparatada o no.

DON HERMÓGENES

¿Disparatada? ¿Y quién ha prorrumpido en un aserto tan...

DON ELEUTERIO

Eso no hace al caso. Díganos usted lo que le parece, y nada más.

DON HERMÓGENES

Sí, diré; pero antes de todo conviene saber que el poema dramático admite dos géneros de fábula. *Sunt autem fabulæ, aliæ simplices, aliæ implexæ.* Es doctrina de Aristóteles.

Pero lo diré en griego para mayor claridad. *Eisi de ton mython oi men aploi oi de peplegmenoi. Cai gar ai praxeis...*

DON ELEUTERIO
Hombre; pero si...

DON ANTONIO
(Siéntase en una silla, haciendo esfuerzos para contener la risa.)
Yo reviento.

DON HERMÓGENES
Cai gar ai praxeis on mimeseis oi...

DON ELEUTERIO
Pero...

DON HERMÓGENES
Mythoi eisin i archousin.

DON ELEUTERIO
Pero si no es eso lo que a usted se le pregunta.

DON HERMÓGENES
Ya estoy en la cuestión. Bien que, para la mejor inteligencia, convendría explicar lo que los críticos entienden por prótasis, epítasis, catástasis, catástrofe, peripecia, agnición, o anagnórisis, partes necesarias a toda buena comedia, y que según Escalígero, Vossio, Dacier, Marmontel, Castelvetro y Daniel Heinsio...

DON ELEUTERIO
Bien, todo eso es admirable; pero...

DON PEDRO
Este hombre es loco.

DON HERMÓGENES
Si consideramos el origen del teatro, hallaremos que los megareos, los sículos y los atenienses...

DON ELEUTERIO
Don Hermógenes, por amor de Dios, si no...

Don Hermógenes

Véanse los dramas griegos, y hallaremos que Anaxipo, Anaxándrides, Eúpolis, Antíphanes, Philípides, Cratino, Crátes, Epicrátes, Menecrátes y Pherecrátes...

Don Eleuterio

Si le he dicho a usted que...

Don Hermógenes

Y los más celebérrimos dramaturgos de la edad pretérita, todos, todos convinieron, *nemine discrepante,* en que la prótasis debe preceder a la catástrofe necesariamente. Es así que la comedia del *Cerco de Viena...*

Don Pedro

Adiós, señores.
(Se encamina hacia la puerta. Don Antonio se levanta y procura detenerle.)

Don Antonio

¿Se va usted, don Pedro?

Don Pedro

¿Pues quién, sino usted, tendrá frescura para oír eso?

Don Antonio

Pero si el amigo don Hermógenes nos va a probar con la autoridad de Hipócrates y Martín Lutero, que la pieza consabida, lejos de ser un desatino...

Don Hermógenes

Ése es mi intento: probar que es un acéfalo insipiente cualquiera que haya dicho que la tal comedia contiene irregularidades absurdas; y yo aseguro que delante de mí ninguno se hubiera atrevido a propalar tal aserción.

Don Pedro

Pues yo delante de usted la propalo, y le digo, que por lo que el señor ha leído de ella, y por ser usted el que la abona, infiero que ha de ser cosa detestable; que su autor será un hombre sin principios ni talento, y que usted es un erudito a la violeta, presumido y fastidioso hasta no más. Adiós, señores. *(Hace que se va, y vuelve.)*

DON ELEUTERIO
(Señalando a don Antonio.)
Pues a este caballero le ha parecido muy bien lo que ha visto de ella.

DON PEDRO
A ese caballero le ha parecido muy mal; pero es hombre de buen humor, y gusta de divertirse. A mí me lastima en verdad la suerte de estos escritores, que entontecen al vulgo con obras tan desatinadas y monstruosas, dictadas, más que por el ingenio, por la necesidad o la presunción. Yo no conozco al autor de esa comedia, ni sé quién es; pero si ustedes, como parece, son amigos suyos, díganle en caridad que se deje de escribir tales desvaríos; que aún está a tiempo, puesto que es la primera obra que publica; que no le engañe el mal ejemplo de los que deliran a destajo; que siga otra carrera, en que por medio de un trabajo honesto podrá socorrer sus necesidades y asistir a su familia, si la tiene. Díganle ustedes que el teatro español tiene de sobra autorcillos chanflones que le abastezcan de mamarrachos; que lo que necesita es una reforma fundamental en todas sus partes; y que mientras ésta no se verifique, los buenos ingenios que tiene la nación, o no harán nada, o harán lo que únicamente baste para manifestar que saben escribir con acierto, y que no quieren escribir.

DON HERMÓGENES
Bien dice Séneca en su epístola dieciocho, que...

DON PEDRO
Séneca dice en todas sus epístolas que usted es un pedantón ridículo, a quien yo no puedo aguantar. Adiós, señores.

ESCENA V

Don Antonio, Don Eleuterio, Don Hermógenes, Pipí

Don Hermógenes
¡Yo pedantón! *(Encarándose hacia la puerta por donde se fue don Pedro. Don Eleuterio se pasea inquieto por el teatro.)* ¡Yo, que he compuesto siete prolusiones greco-latinas sobre los puntos más delicados del derecho!

Don Eleuterio
¡Lo que él entenderá de comedias, cuando dice que la conclusión del segundo acto es mala!

Don Hermógenes
Él será el pedantón.

Don Eleuterio
¡Hablar así de una pieza que ha de durar lo menos quince días! Y si empieza a llover...

Don Hermógenes
Yo estoy graduado en leyes, y soy opositor a cátedras, y soy académico, y no he querido ser dómine de Pioz.

Don Antonio
Nadie pone duda en el mérito de usted, señor don Hermógenes, nadie; pero esto ya se acabó, y no es cosa de acalorarse.

Don Eleuterio
Pues la comedia ha de gustar, mal que le pese.

Don Antonio
Sí, señor, gustará. Voy a ver si le alcanzo; y *velis nolis*, he de hacer que la vea para castigarle.

DON ELEUTERIO
Buen pensamiento; sí, vaya usted.

DON ANTONIO
En mi vida he visto locos más locos.

ESCENA VI

DON HERMÓGENES, DON ELEUTERIO

DON ELEUTERIO
¡Llamar detestable a la comedia! ¡Vaya, que estos hombres gastan un lenguaje que da gozo oírle!

DON HERMÓGENES
Aquila non capit muscas, don Eleuterio. Quiero decir, que no haga usted caso. A la sombra del mérito crece la envidia. A mí me sucede lo mismo. Ya ve usted si yo sé algo...

DON ELEUTERIO
¡Oh!

DON HERMÓGENES
Digo, me parece que (sin vanidad) pocos habrá que...

DON ELEUTERIO
Ninguno. Vamos; tan completo como usted, ninguno.

DON HERMÓGENES
Que reúnan el ingenio a la erudición, la aplicación al gusto, del modo que yo (sin alabarme) he llegado a reunirlos. ¿Eh?

DON ELEUTERIO
Vaya, de eso no hay que hablar; es más claro que el sol que nos alumbra.

DON HERMÓGENES
Pues bien. A pesar de eso, hay quien me llama pedante, y casquivano, y animal cuadrúpedo. Ayer, sin ir más lejos, me lo dijeron en la Puerta del Sol, delante de cuarenta o cincuenta personas.

Don Eleuterio
¡Picardía! Y usted ¿qué hizo?

Don Hermógenes
Lo que debe hacer un gran filósofo: callé, tomé un polvo, y me fui a oír una misa a la Soledad.

Don Eleuterio
Envidia todo, envidia. ¿Vamos arriba?

Don Hermógenes
Esto lo digo para que usted se anime, y le aseguro que los aplausos que... Pero, dígame usted: ¿ni siquiera una onza de oro le han querido adelantar a usted a cuenta de los quince doblones de la comedia?

Don Eleuterio
Nada, ni un ochavo. Ya sabe usted las dificultades que ha habido para que esa gente la reciba. Por último, hemos quedado en que no han de darme nada hasta ver si la pieza gusta o no.

Don Hermógenes
¡Oh, corvas almas! ¡Y precisamente en la ocasión más crítica para mí! Bien dice Tito Livio, que cuando...

Don Eleuterio
Pues ¿qué hay de nuevo?

Don Hermógenes
Ese bruto de mi casero... El hombre más ignorante que conozco. Por año y medio que le debo de alquileres me pierde el respeto, me amenaza...

Don Eleuterio
No hay que afligirse. Mañana o esotro es regular que me den el dinero; pagaremos a ese bribón; y si tiene usted algún pico en la hostería, también se...

Don Hermógenes
Sí, aún hay un piquillo; cosa corta.

DON ELEUTERIO

Pues bien: con la impresión lo menos ganaré cuatro mil
reales.

DON HERMÓGENES

Lo menos. Se vende toda seguramente.
  (Vase Pipí por la puerta del foro.)

DON ELEUTERIO

Pues con ese dinero saldremos de apuros; se adornará el
cuarto nuevo; unas sillas, una cama y algún otro chisme. Se
casa usted. Mariquita, como usted sabe, es aplicada, hacen-
dosilla y muy mujer; ustedes estarán en mi casa continuamente. Yo iré dando las otras cuatro comedias, que, pegando
la de hoy, las recibirán los cómicos con palio. Pillo la mo-
neda, las imprimo, se venden; entretanto ya tendré algunas
hechas, y otras en el telar. Vaya, no hay que temer. Y sobre
todo, usted saldrá colocado de hoy a mañana: una intenden-
cia, una toga, una embajada; ¿qué sé yo? Ello es que el ministro le estima a usted; ¿no es verdad?

DON HERMÓGENES

Tres visitas le hago cada día.

DON ELEUTERIO

Sí, apretarle, apretarle. Subamos arriba, que las mujeres
ya estarán...

DON HERMÓGENES

Diecisiete memoriales le he entregado la semana última.

DON ELEUTERIO

¿Y qué dice?

DON HERMÓGENES

En uno de ellos puse por lema aquel celebérrimo dicho
del poeta: *Pallida mors œquo pulsat pede pauperum tabernas regumque turres.*

DON ELEUTERIO

¡Y qué dijo cuando leyó eso de las tabernas?

DON HERMÓGENES

Que bien; que ya está enterado de mi solicitud.

Don Eleuterio
¡Pues no le digo a usted! Vamos, eso está conseguido.

Don Hermógenes
Mucho lo deseo, para que a este consorcio apetecido acompañe el episodio de tener que comer, puesto que *sine Cerere et Bacho friget Venus.* Y entonces, ¡oh!, entonces... Con un buen empleo y la blanca mano de Mariquita, ninguna otra cosa me queda que apetecer sino que el cielo me conceda numerosa y masculina sucesión.

(Vanse por la puerta del foro.)

ACTO SEGUNDO

ESCENA PRIMERA

Doña Agustina, Doña Mariquita, Don Serapio,
Don Hermógenes, Don Eleuterio
(Salen por la puerta del foro.)

DON SERAPIO

El trueque de los puñales, créame usted, es de lo mejor
que se ha visto.

DON ELEUTERIO

¿Y el sueño del emperador?

DOÑA AGUSTINA

¿Y la oración que hace el visir a sus ídolos?

DOÑA MARIQUITA

Pero a mí me parece que no es regular que el emperador
se durmiera, precisamente en la ocasión más...

DON HERMÓGENES

Señora, el sueño es natural en el hombre, y no hay dificultad en que un emperador se duerma, porque los vapores
húmedos que suben al cerebro...

DOÑA AGUSTINA

Pero ¿usted hace caso de ella? ¡Qué tontería! Si no sabe
lo que se dice... Y a todo esto, ¿qué hora tenemos?

DON SERAPIO

Serán... Deje usted. Podrán ser ahora...

DON HERMÓGENES

Aquí está mi reloj *(saca su reloj)* que es puntualísimo.
Tres y media cabales.

Doña Agustina

¡Oh!, pues aún tenemos tiempo. Sentémonos, una vez que no hay gente.

(Siéntanse todos menos don Eleuterio.)

Don Serapio

¿Qué gente ha de haber? Si fuera en otro cualquier día... pero hoy todo el mundo va a la comedia.

Doña Agustina

Estará lleno, lleno.

Don Serapio

Habrá hombre que dará esta tarde dos medallas por un asiento de luneta.

Don Eleuterio

Ya se ve, comedia nueva, autor nuevo, y...

Doña Agustina

Y que ya la habrán leído muchísimos, y sabrán lo que es. Vaya, no cabrá un alfiler, aunque fuera el coliseo siete veces más grande.

Don Serapio

Hoy los Chorizos se mueren de frío y de miedo. Ayer noche apostaba yo al marido de la graciosa seis onzas de oro a que no tienen esta tarde en su corral cien reales de entrada.[14]

Don Eleuterio

¿Conque la apuesta se hizo en efecto? ¿Eh?

Don Serapio

No llegó el caso, porque yo no tenía en el bolsillo más que dos reales y unos cuartos... Pero ¡cómo los hice rabiar!, y que...

---

14. Al espectáculo tumultuario que se producía en los estrenos teatrales de la época contribuía la presencia de un público que interrumpía las manifestaciones escénicas con gritos y objetos arrojadizos, y que se dividía en dos bandos: el de los «polacos» por ser partidarios del teatro extranjero y el de los «chorizos» que apoyaban al teatro popular y castizo.

Don Eleuterio

Soy con ustedes; voy aquí a la librería, y vuelvo.

Doña Agustina

¿A qué?

Don Eleuterio

¿No te lo he dicho? Si encargué que me trajesen ahí la razón de lo que va vendido, para que...

Doña Agustina

Sí, es verdad. Vuelve presto.

Don Eleuterio

Al instante. *(Vase.)*

Doña Mariquita

¡Qué inquietud! ¡Qué ir y venir! No para este hombre.

Doña Agustina

Todo se necesita, hija; y si no fuera por su buena diligencia, y lo que él ha minado y revuelto, se hubiera quedado con su comedia escrita y su trabajo perdido.

Doña Mariquita

¿Y quién sabe lo que sucederá todavía, hermana? Lo cierto es que yo estoy en brasas; porque, vaya, si la silban, yo no sé lo que será de mí.

Doña Agustina

Pero, ¿por qué la han de silbar, ignorante? ¡Qué tonta eres, y qué falta de comprensión!

Doña Mariquita

Pues, siempre me está usted diciendo eso. *(Sale Pipí por la puerta del foro con platos, botellas, etc. Lo deja todo sobre el mostrador, y vuelve a irse por la misma parte.)* Vaya, que algunas veces me... ¡Ay, don Hermógenes! No sabe usted qué ganas tengo de ver estas cosas concluidas, y poderme ir a comer un pedazo de pan con quietud a mi casa, sin tener que sufrir tales sinrazones.

Don Hermógenes

No el pedazo de pan, sino ese hermoso pedazo de cielo, me tiene a mí impaciente hasta que se verifique el suspirado consorcio.

Doña Mariquita

¡Suspirado, sí, suspirado! ¡Quién le creyera a usted!

Don Hermógenes

Pues ¿quién ama tan de veras como yo cuando ni Píramo, ni Marco Antonio, ni los Ptolomeos egipcios, ni todos los Seléucidas de Asiria sintieron jamás un amor comparable al mío?

Doña Agustina

¡Discreta hipérbole! Viva, viva. Respóndele, bruto.

Doña Mariquita

¿Qué he de responder, señora, si no le he entendido una palabra?

Doña Agustina

¡Me desespera!

Doña Mariquita

Pues digo bien. ¿Qué sé yo quién son esas gentes de quien está hablando? Mire usted, para decirme: Mariquita, yo estoy deseando que nos casemos; así que su hermano de usted coja esos cuartos, verá usted cómo todo se dispone; porque la quiero a usted mucho, y es usted muy guapa muchacha, y tiene usted unos ojos muy peregrinos, y... ¿qué sé yo? Así. Las cosas que dicen los hombres.

Doña Agustina

Sí, los hombres ignorantes, que no tienen crianza ni talento, ni saben latín.

Doña Mariquita

¡Pues, latín! Maldito sea su latín. Cuando le pregunto cualquiera friolera, casi siempre me responde en latín; y para decir que se quiere casar conmigo, me cita tantos autores... Mire usted qué entenderán los autores de eso, ni qué les importará a ellos que nosotros nos casemos o no.

Doña Agustina

¡Qué ignorancia! Vaya, don Hermógenes; lo que le he dicho a usted. Es menester que usted se dedique a instruirla y descortezarla; porque, la verdad, esa estupidez me avergüenza. Yo, bien sabe Dios que no he podido más; ya se ve, ocupada continuamente en ayudar a mi marido en sus obras, en corregírselas (como usted habrá visto muchas veces), en sugerirle ideas a fin de que salgan con la debida perfección, no he tenido tiempo para emprender su enseñanza. Por otra parte, es increíble lo que aquellas criaturas me molestan. El uno que llora, el otro que quiere mamar, el otro que rompió la taza, el otro que se cayó de la silla, me tienen continuamente afanada. Vaya; yo lo he dicho mil veces: para las mujeres instruidas es un tormento la fecundidad.

Doña Mariquita

¡Tormento! Vaya, hermana, que usted es singular en todas sus cosas! Pues yo, si me caso, bien sabe Dios que...

Doña Agustina

Calla, majadera, que vas a decir un disparate.

Don Hermógenes

Yo la instruiré en las ciencias abstractas; la enseñaré la prosodia; haré que copie a ratos perdidos el *Arte magna* de Raimundo Lulio, y que me recite de memoria todos los martes dos o tres hojas del *Diccionario* de Rubiños. Después aprenderá los logaritmos y algo de la estática; después...

Doña Mariquita

Después me dará un tabardillo pintado, y me llevará Dios. ¡Se habrá visto tal empeño! No, señor, si soy ignorante, buen provecho me haga. Yo sé escribir y ajustar una cuenta, sé guisar, sé planchar, sé coser, sé zurcir, sé bordar, sé cuidar de una casa; yo cuidaré de la mía, y de mi marido, y de mis hijos, y yo me los criaré. Pues, señor, ¿no sé bastante? ¡Que por fuerza he de ser doctora y marisabidilla, y que he de aprender la gramática, y que he de hacer coplas! ¿Para qué? ¿Para perder el juicio? Que permita Dios si no parece casa de locos la nuestra, desde que mi hermano ha dado en esas manías. Siempre disputando marido y mujer sobre si la escena es larga o corta, siempre contando las letras por los dedos para saber si los versos están cabales o no, si el lance a oscuras ha de ser antes de la batalla o después del veneno, y manoseando continuamente *Gacetas* y *Mercurios* para buscar nombres bien extravagantes, que casi todos acaban en *of* y en *graf*, para embutir con ellos sus relaciones... Y entretanto ni se barre el cuarto, ni la ropa se lava, ni las medias se cosen; y lo que es peor, ni se come ni se cena. ¿Qué le parece a usted que comimos el domingo pasado, don Serapio?

DON SERAPIO

¡Yo, señora! ¿Cómo quiere usted que...?

DOÑA MARIQUITA

Pues lléveme Dios si todo el banquete no se redujo a libra y media de pepinos, bien amarillos y bien gordos, que compré a la puerta, y un pedazo de rosca que sobró del día anterior. Y éramos seis bocas a comer, que el más desganado se hubiera engullido un cabrito y media hornada sin levantarse del asiento.

DOÑA AGUSTINA

Ésta es su canción; siempre quejándose de que no come y trabaja mucho. Menos como yo, y más trabajo en un rato que me ponga a corregir alguna escena, o arreglar la ilusión de una catástrofe, que tú cosiendo y fregando, u ocupada en otros ministerios viles y mecánicos.

DON HERMÓGENES

Sí, Mariquita, sí; en eso tiene razón mi señora doña Agustina. Hay gran diferencia de un trabajo a otro, y los experimentos cotidianos nos enseñan que toda mujer que es literata y sabe hacer versos, *ipso facto* se halla exonerada de las obligaciones domésticas. Yo lo probé en una disertación que leí a la academia de los Cinocéfalos. Allí sostuve que los versos se confeccionan con la glándula pineal, y los calzoncillos con los tres dedos llamados *pollex*, *index* e *infamis*; que es decir, que para lo primero se necesita toda la argucia del ingenio, cuando para lo segundo basta sólo la costumbre de la mano. Y concluí, a satisfacción de todo mi auditorio, que es más difícil hacer un soneto que pegar un hombrillo; y que más elogio merece la mujer que sepa componer décimas y redondillas, que la que sólo es buena para hacer un pisto con tomate, un ajo de pollo o un carnero verde.

DOÑA MARIQUITA

Aun por eso en mi casa no se gastan pistos, ni carneros verdes, ni pollos, ni ajos. Ya se ve, en comiendo versos no se necesita cocina.

DON HERMÓGENES

Bien está, sea lo que usted quiera, ídolo mío; pero si hasta ahora se ha padecido alguna estrechez (*angustam pauperiem*, que dijo el profano), de hoy en adelante será otra cosa.

DOÑA MARIQUITA

¿Y qué dice el profano? ¿Que no silbarán esta tarde la comedia?

DON HERMÓGENES

No, señora, la aplaudirán.

DON SERAPIO

Durará un mes, y los cómicos se cansarán de representarla.

DOÑA MARIQUITA

No, pues no decían eso ayer los que encontramos en la botillería. ¿Se acuerda usted, hermana? Y aquel más alto, a fe que no se mordía la lengua.

DON SERAPIO

¿Alto? Uno alto, ¿eh? Ya le conozco. (*Se levanta.*) ¡Picarón! ¡Vicioso! Uno de capa, que tiene un chirlo en las narices. ¡Bribón! Ése es un oficial de guarnicionero, muy apasionado de la otra compañía. ¡Alborotador! Que él fue el que tuvo la culpa de que silbaran la comedia de *El Monstruo más espantable del ponto de Calidonia*, que la hizo un sastre pariente de un vecino mío; pero yo le aseguro al...

DOÑA MARIQUITA

¿Qué tonterías está usted ahí diciendo? Si no es ése de quien yo hablo.

DON SERAPIO

Sí, uno alto, mala traza, con una señal que le coge...

Doña Mariquita

Si no es ése.

Don Serapio

¡Mayor gatallón! [15] ¡Y qué mala vida dio a su mujer! ¡Pobrecita! Lo mismo la trataba que a un perro.

Doña Mariquita

Pero si no es ése, dale. ¿A qué viene cansarse? Éste era un caballero muy decente, que no tiene ni capa ni chirlo, ni se parece en nada al que usted nos pinta.

Don Serapio

Ya; pero voy al decir. ¡Unas ganas tengo de pillar al tal guarnicionero! No irá esta tarde al patio, que si fuera... ¡eh!... Pero el otro día, ¡qué cosas le dijimos allí en la plazuela de San Juan! Empeñado en que la otra compañía es la mejor, y que no hay quien la tosa. ¿Y saben ustedes *(vuelve a sentarse)* por qué es todo ello? Porque los domingos por la noche se van él y otros de su pelo a casa de la Ramírez, y allí se están retozando en el recibimiento con la criada; después les saca un poco de queso, o unos pimientos en vinagre, o así; y luego se van a palmotear como desesperados a las barandillas y al degolladero. Pero no hay remedio; ya estamos prevenidos los apasionados de acá, y a la primera comedia que echen en el otro corral, zas, sin remisión, a silbidos se ha de hundir la casa. A ver...

Doña Mariquita

¿Y si ellos nos ganasen por la mano, y hacen con la de hoy otro tanto?

Doña Agustina

Sí, te parecerá que tu hermano es lerdo, y que ha trabajado poco estos días para que no le suceda un chasco. Él se ha hecho ya amigo de los principales apasionados del otro corral; ha estado con ellos; les ha recomendado la comedia y les ha prometido que la primera que componga será para su compañía. Además de eso, la dama de allá le quiere mucho; él va todos los días a su casa a ver si se la ofrece algo, y cualquiera cosa que allí ocurre nadie la hace sino mi marido. Don Eleuterio, tráigame usted un par de

---

15. Gatallón, nombre despectivo que se da al gato.

libras de manteca. Don Eleuterio, eche usted un poco de
alpiste a ese canario. Don Eleuterio, dé usted una vuelta por
la cocina, y vea usted si empieza a espumar aquel puchero.
Y él, ya se ve, lo hace todo con una prontitud y un agrado,
que no hay más que pedir; porque en fin, el que necesita es
preciso que... Y por otra parte, como él, bendito sea Dios,
tiene tal gracia para cualquier cosa, y es tan servicial con
todo el mundo... ¡Qué silbar!... No, hija, no hay que temer;
a buenas aldabas se ha agarrado él para que le silben.

Don Hermógenes

Y sobre todo, el sobresaliente mérito del drama bastaría
a imponer taciturnidad y admiración a la turba más gárrula, más desenfrenada e insipiente.

Doña Agustina

Pues ya se ve. Figúrese usted una comedia heroica como
ésta, con más de nueve lances que tiene. Un desafío a caballo por el patio, tres batallas, dos tempestades, un entierro, una función de máscara, un incendio de ciudad, un
puente roto, dos ejercicios de fuego y un ajusticiado; figúrese usted si esto ha de gustar precisamente.[16]

Don Serapio

¡Toma si gustará!

Don Hermógenes

Aturdirá.

Don Serapio

Se despoblará Madrid por ir a verla.

Doña Mariquita

Y a mí me parece que unas comedias así debían repre-
sentarse en la plaza de los toros.

16. Característico del teatro barroco que Moratín quiere desacredi-
tar es la acumulación de elementos escenográficos, en los que abundan los efectos de luces y de ruidos, a los que se atribuye el papel
de dar carácter más dramático a la acción.

ESCENA II

Don Eleuterio, Doña Agustina, Doña Mariquita,
Don Serapio, Don Hermógenes

Doña Agustina
Y bien, ¿qué dice el librero? ¿Se despachan muchas?

Don Eleuterio
Hasta ahora...

Doña Agustina
Deja; me parece que voy a acertar: habrá vendido...
¿Cuándo se pusieron los carteles?

Don Eleuterio
Ayer por la mañana. Tres o cuatro hice poner en cada
esquina.

Don Serapio
¡Ah!, y cuide usted *(levántase)* que les pongan buen en-
grudo, porque si no...

Don Eleuterio
Sí, que no estoy en todo. Como que yo mismo le hice
con esa mira, y lleva una buena parte de cola.

Doña Agustina
El *Diario* y la *Gaceta* la han anunciado ya, ¿es verdad?

Don Hermógenes
En términos precisos.

Doña Agustina
Pues irán vendidos... quinientos ejemplares.

Don Serapio
¡Qué friolera! Y más de ochocientos también.
Doña Agustina
¿He acertado?

Don Serapio
¿Es verdad que pasan de ochocientos?

Don Eleuterio
No, señor, no es verdad. La verdad es que hasta ahora, según me acaban de decir, no se han despachado más que tres ejemplares; y esto me da malísima espina.

Don Serapio
¿Tres no más? Harto poco es.

Doña Agustina
Por vida mía, que es bien poco.

Don Hermógenes
Distingo. Poco, absolutamente hablando, niego; respectivamente, concedo; porque nada hay que sea poco ni mucho *per se*, sino respectivamente. Y así, si los tres ejemplares vendidos constituyen una cantidad tercia con relación a nueve, y bajo este respecto los dichos tres ejemplares se llaman poco, también estos mismos tres ejemplares relativamente a uno componen una triplicada cantidad, a la cual podemos llamar mucho por la diferencia que va de uno a tres. De donde concluyo, que no es poco lo que se ha vendido, y que es falta de ilustración sostener lo contrario.

Doña Agustina
Dice bien, muy bien.

Don Serapio
¡Qué! ¡Si en poniéndose a hablar este hombre!...

Doña Mariquita
Pues, en poniéndose a hablar probará que lo blanco es verde, y que dos y dos son veinticinco. Yo no entiendo tal modo de sacar cuentas... Pero al cabo y al fin, las tres comedias que se han vendido hasta ahora, ¿serán más que tres?

Don Eleuterio
Es verdad; y en suma, todo el importe no pasará de seis reales.

Doña Mariquita

Pues, seis reales; cuando esperábamos montes de oro con
la tal impresión. Ya voy yo viendo que si mi boda no se ha
de hacer hasta que todos esos papelotes se despachen, me
llevarán con palma a la sepultura. (*Llorando.*) ¡Pobrecita
de mí!

Don Hermógenes

No así, hermosa Mariquita, desperdicie usted el tesoro
de perlas que una y otra luz derrama.

Doña Mariquita

¡Perlas! Si yo supiera llorar perlas, no tendría mi hermano necesidad de escribir disparates.

ESCENA III

Don Antonio, Don Eleuterio, Don Hermógenes, Doña Agustina, Doña Mariquita

Don Antonio

A la orden de ustedes, señores.

Don Eleuterio

Pues ¿cómo tan presto? ¿No dijo usted que iría a ver la
comedia?

Don Antonio

En efecto, he ido. Allí queda don Pedro.

Don Eleuterio

¿Aquel caballero de tan mal humor?

Don Antonio

El mismo. Que quieras que no, le he acomodado (*sale
Pipí por la puerta del foro con un canastillo de manteles,
cubiertos, etc., y le pone sobre el mostrador*) en el palco
de unos amigos. Yo creí tener luneta segura; ¡pero qué!,
ni luneta, ni palcos, ni tertulias, ni cubillos; no hay asiento
en ninguna parte.

Doña Agustina
Si lo dije.

Don Antonio
Es mucha la gente que hay.

Don Eleuterio
Pues no, no es cosa de que usted se quede sin verla. Yo tengo palco. Véngase usted con nosotros, y todos nos acomodaremos.

Doña Agustina
Sí, puede usted venir con toda satisfacción, caballero.

Don Antonio
Señora, doy a usted mil gracias por su atención; pero ya no es cosa de volver allá. Cuando yo salí se empezaba la primer tonadilla; conque...

Don Serapio
¿La tonadilla?
  (Se levantan todos.)

Doña Mariquita
¿Qué dice usted?

Don Eleuterio
¿La tonadilla?

Doña Agustina
¿Pues cómo han empezado tan presto?

Don Antonio
No, señora; han empezado a la hora regular.

Doña Agustina
No puede ser; si ahora serán...

Don Hermógenes
Yo lo diré. *(Saca el reloj.)* Las tres y media en punto.

Doña Mariquita
¡Hombre! ¿Qué tres y media? Su reloj de usted está siempre en las tres y media.

Doña Agustina

A ver... *(Toma el reloj de don Hermógenes, le aplica al oído, y se le vuelve.)* Si está parado.

Don Hermógenes

Es verdad. Esto consiste en que la elasticidad del muelle espiral...

Doña Mariquita

Consiste en que está parado, y nos ha hecho usted perder la mitad de la comedia. Vamos, hermana.

Doña Agustina

Vamos.

Don Eleuterio

¡Cuidado, que es cosa particular! ¡Voto va sanes! La casualidad de...

Doña Mariquita

Vamos pronto... ¿Y mi abanico?

Don Serapio

Aquí está.

Don Antonio

Llegarán ustedes al segundo acto.

Doña Mariquita

Vaya, que este don Hermógenes...

Doña Agustina

Quede usted con Dios, caballero.

Doña Mariquita

Vamos aprisa.

Don Antonio

Vayan ustedes con Dios.

Don Serapio

A bien que cerca estamos.

Don Eleuterio

Cierto que ha sido chasco estarnos así, fiados en...

Doña Mariquita

Fiados en el maldito reloj de don Hermógenes.

ESCENA IV

DON ANTONIO, PIPÍ

DON ANTONIO

¿Conque estas dos son la hermana y la mujer del autor de la comedia?

PIPÍ

Sí, señor.

DON ANTONIO

¡Qué paso llevan! Ya se ve, se fiaron del reloj de don Hermógenes.

PIPÍ

Pues yo no sé qué será pero desde la ventana de arriba se ve salir mucha gente del coliseo.

DON ANTONIO

Serán los del patio, que estarán sofocados. Cuando yo me vine quedaban dando voces para que les abriesen las puertas. El calor es muy grande; y por otra parte, meter cuatro donde no caben más que dos es un despropósito; pero lo que importa es cobrar a la puerta, y más que revienten dentro.

ESCENA V

DON PEDRO, DON ANTONIO, PIPÍ

DON ANTONIO

¡Calle! ¿Ya está usted por acá? Pues, y la comedia, ¿en qué estado queda?

DON PEDRO

Hombre, no me hable usted de comedia (se sienta), que no he tenido rato peor muchos meses ha.

Don Antonio
Pues ¿qué ha sido ello? *(Sentándose junto a don Pedro.)*

Don Pedro
¿Qué ha de ser? Que he tenido que sufrir (gracias a la recomendación de usted) casi todo el primer acto, y por añadidura una tonadilla insípida y desvergonzada, como es costumbre. Hallé la ocasión de escapar, y la aproveché.

Don Antonio
¿Y qué tenemos en cuanto al mérito de la pieza?

Don Pedro [17]
Que cosa peor no se ha visto en el teatro desde que las musas de guardilla le abastecen... Si tengo hecho propósito firme de no ir jamás a ver esas tonterías. A mí no me divierten; al contrario, me llenan de, de... No, señor, menos me enfada cualquiera de nuestras comedias antiguas, por malas que sean. Están desarregladas, tienen disparates; pero aquellos disparates y aquel desarreglo son hijos del ingenio y no de la estupidez. Tienen defectos enormes, es verdad; pero entre estos defectos se hallan cosas que, por vida mía, tal vez suspenden y conmueven al espectador en términos de hacerle olvidar o disculpar cuantos desaciertos han precedido. Ahora compare usted nuestros autores adocenados del día con los antiguos, y dígame si no valen más Calderón, Solís, Rojas, Moreto cuando deliran, que estotros cuando quieren hablar en razón.

Don Antonio
La cosa es tan clara, señor don Pedro, que no hay nada que oponer a ella; pero, dígame usted, el pueblo, el pobre pueblo, ¿sufre con paciencia ese espantable comedión?

Don Pedro
No tanto como el autor quisiera, porque algunas veces se ha levantado en el patio una marea sorda que traía visos de tempestad. En fin, se acabó el acto muy oportunamente; pero no me atreveré a pronosticar el éxito de la tal pieza,

---

17. Obsérvese que en estas frases se dibuja el pensamiento crítico del propio Moratín, a lo largo de toda esta escena.

porque aunque el público está ya muy acostumbrado a oír desatinos, tan garrafales como los de hoy jamás se oyeron.

Don Antonio
¿Qué dice usted?

Don Pedro
Es increíble. Ahí no hay más que un hacinamiento confuso de especies, una acción informe, lances inverosímiles, episodios inconexos, caracteres mal expresados o mal escogidos; en vez de artificio, embrollo; en vez de situaciones cómicas, mamarrachadas de linterna mágica. No hay conocimiento de historia ni de costumbres, no hay objeto moral, no hay lenguaje, ni estilo, ni versificación, ni gusto, ni sentido común. En suma, es tan mala y peor que las otras con que nos regalan todos los días.[18]

Don Antonio
Y no hay que esperar nada mejor. Mientras el teatro siga en el abandono en que hoy está, en vez de ser el espejo de la virtud y el templo del buen gusto, será la escuela del error y el almacén de las extravagancias.

Don Pedro
Pero ¡no es fatalidad que después de tanto como se ha escrito por los hombres más doctos de la nación sobre la necesidad de su reforma, se han de ver todavía en nuestra escena espectáculos tan infelices! ¿Qué pensarán de nuestra cultura los extranjeros que vean la comedia de esta tarde? ¿Qué dirán cuando lean las que se imprimen continuamente?

Don Antonio
Digan lo que quieran, amigo don Pedro, ni usted ni yo podemos remediarlo. ¿Y qué haremos? Reír o rabiar: no hay otra alternativa... Pues yo más quiero reír que impacientarme.

---

18. La lectura de esta obra nos permite hacer un catálogo de las características del teatro en la época de Moratín, tanto en sus ideas rectoras como en un aspecto técnico. Obsérvese la alusión a la «linterna mágica», antecedente del cine, que en estos años empezaba a circular por Europa.

Don Pedro

Yo no, porque no tengo serenidad para eso. Los progresos de la literatura, señor don Antonio, interesan mucho al poder, a la gloria y a la conservación de los imperios; el teatro influye inmediatamente en la cultura nacional; el nuestro está perdido, y yo soy muy español.

Don Antonio

Con todo, cuando se ve que... Pero ¿qué novedad es ésta?

ESCENA VI

Don Serapio, Don Hermógenes, Don Pedro, Don Antonio, Pipí

Don Serapio

Pipí, muchacho, corriendo, por Dios, un poco de agua.

Don Antonio

¿Qué ha sucedido?
(Se levantan don Antonio y don Pedro.)

Don Serapio

No te pares en enjuagatorios. Aprisa.

Pipí

Voy, voy allá.

Don Serapio

Despáchate.

Pipí

¡Por vida del hombre! *(Pipí va detrás de don Serapio con un vaso de agua. Don Hermógenes, que sale apresurado, tropieza con él y deja caer el vaso y el plato.)* ¿Por qué no mira usted?

Don Hermógenes

¿No hay alguno de ustedes que tenga por ahí un poco de agua de melisa, elixir, extracto, aroma, álcali volátil,

éter vitriólico, o cualquier quintaesencia antiespasmódica,
para entonar el sistema nervioso de una dama exánime?

DON ANTONIO

Yo no, no traigo.

DON PEDRO

Pero ¿qué ha sido? ¿Es accidente?

ESCENA VII

DOÑA AGUSTINA, DOÑA MARIQUITA, DON ELEUTERIO,
DON HERMÓGENES, DON SERAPIO, DON PEDRO,
DON ANTONIO, PIPÍ

DON ELEUTERIO

Sí; es mucho mejor hacer lo que dice don Serapio.
  (Doña Agustina muy acongojada, sostenida por don
Eleuterio y don Serapio. La hacen que se siente. Pipí
trae otro vaso de agua, y ella bebe un poco.)

DON SERAPIO

Pues ya se ve. Anda, Pipí, en tu cama podrá descansar
esta señora...

PIPÍ

¡Qué! Si está en un camaranchón, que...

DON ELEUTERIO

No importa.

PIPÍ

¡La cama! La cama es un jergón de arpillera y...

DON SERAPIO

¿Qué quiere decir eso?

DON ELEUTERIO

No importa nada. Allí estará un rato, y veremos si es
cosa de llamar a un sangrador.

Pipí
Yo bien, si ustedes...

Doña Agustina
No, no es menester.

Doña Mariquita
¿Se siente usted mejor, hermana?

Don Eleuterio
¿Te vas aliviando?

Doña Agustina
Alguna cosa.

Don Serapio
¡Ya se ve! El lance no era para menos.

Don Antonio
Pero ¿se podrá saber qué especie de insulto ha sido éste?

Don Eleuterio
¿Qué ha de ser, señor, qué ha de ser? Que hay gente envidiosa y mal intencionada, que... ¡Vaya! No me hable usted de eso, porque... ¡Picarones! ¿Cuándo han visto ellos comedia mejor? [19]

Don Pedro
No acabo de comprender.

Doña Mariquita
Señor, la cosa es bien sencilla. El señor es hermano mío, marido de esta señora, y autor de esa maldita comedia que han echado hoy. Hemos ido a verla; cuando llegamos estaban ya en el segundo acto. Allí había una tempestad, y luego un consejo de guerra, y luego un baile, y después un entierro... En fin, ello es que al cabo de esta tremolina salía la dama con un chiquillo de la mano, y ella y el chico rabiaban de hambre; el muchacho decía: Madre, deme usted pan; y la madre invocaba a Demogorgon y al Cancerbero.

19. A partir de este momento, el público que se sentía aludido por ciertas frases de la obra inició el tumulto.

Al llegar nosotros se empezaba este lance de madre e hijo... El patio estaba tremendo. ¡Qué oleadas!, ¡qué toser!, ¡qué estornudos!, ¡qué bostezar!, ¡qué ruido confuso por todas partes!... Pues, señor, como digo, salió la dama, y apenas hubo dicho que no había comido en seis días, y apenas el chico empezó a pedirla pan, y ella a decirle que no le tenía, cuando para servir a ustedes, la gente (que a la cuenta estaba ya hostigada de la tempestad, del consejo de guerra, del baile y del entierro) comenzó de nuevo a alborotarse. El ruido se aumenta; suenan bramidos por un lado y otro, y empieza tal descarga de palmadas huecas, y tal golpeo en los bancos y barandillas, que no parecía sino que toda la casa se venía al suelo. Corrieron el telón; abrieron las puertas; salió renegando toda la gente; a mi hermana se la oprimió el corazón, de manera que... En fin, ya está mejor, que es lo principal. Aquello no ha sido ni oído ni visto; en un instante, entrar en el palco y suceder lo que acabo de contar, todo ha sido a un tiempo. ¡Válgame Dios! ¡En lo que han venido a parar tantos proyectos! Bien decía yo que era imposible que... *(Siéntase junto a doña Agustina.)*

Don Eleuterio

¡Y que no ha de haber justicia para esto! Don Hermógenes, amigo don Hermógenes, usted bien sabe lo que es la pieza; informe usted a estos señores... Tome usted. *(Saca la comedia, y se la da a don Hermógenes.)* Léales usted todo el segundo acto, y que me digan si una mujer que no ha comido en seis días tiene razón de morirse, y si es mal parecido que un chico de cuatro años pida pan a su madre. Lea usted, lea usted, y que me digan si hay conciencia ni ley de Dios para haberme asesinado de esta manera.

Don Hermógenes

Yo, por ahora, amigo don Eleuterio, no puedo encargarme de la lectura del drama. *(Deja la comedia sobre una mesa. Pipí la toma, se sienta en una silla distante, y lee con particular atención y complacencia.)* Estoy de prisa. Nos veremos otro día y...

Don Eleuterio

¿Se va usted?

Doña Mariquita
¿Nos deja usted así?

Don Hermógenes
Si en algo pudiera contribuir con mi presencia al alivio de ustedes, no me movería de aquí; pero...

Doña Mariquita
No se vaya usted.

Don Hermógenes
Me es muy doloroso asistir a tan acerbo espectáculo. Tengo que hacer. En cuanto a la comedia, nada hay que decir, murió, y es imposible que resucite; bien que ahora estoy escribiendo una apología del teatro, y la citaré con elogio. Diré que hay otras peores; diré que si no guarda reglas ni conexión, consiste en que el autor era un grande hombre; callaré sus defectos...

Don Eleuterio
¿Qué defectos?

Don Hermógenes
Algunos que tiene.

Don Pedro
Pues no decía usted eso poco tiempo ha.

Don Hermógenes
Fue para animarle.

Don Pedro
Y para engañarle y perderle. Si usted conocía que era mala, ¿por qué no se lo dijo? ¿Por qué, en vez de aconsejarle que desistiera de escribir chapucerías, ponderaba usted el ingenio del autor, y le persuadía que era excelente una obra tan ridícula y despreciable?

Don Hermógenes
Porque el señor carece de criterio y sindéresis para comprender la solidez de mis raciocinios, si por ellos intentara persuadirle que la comedia es mala.

DOÑA AGUSTINA

¿Conque es mala?

DON HERMÓGENES

Malísima.

DON ELEUTERIO

¿Qué dice usted?

DOÑA AGUSTINA

Usted se chancea, don Hermógenes; no puede ser otra cosa.

DON PEDRO

No, señora, no se chancea; en eso dice la verdad. La comedia es detestable.

DOÑA AGUSTINA

Poco a poco con eso, caballero; que una cosa es que el señor lo diga por gana de fiesta, y otra que usted nos lo venga a repetir de ese modo. Usted será de los eruditos que de todo blasfeman, y nada les parece bien sino lo que ellos hacen; pero...

DON PEDRO

Si usted es marido de esa *(a don Eleuterio)* señora, hágala usted callar; porque aunque no puede ofenderme cuanto diga, es cosa ridícula que se meta a hablar de lo que no entiende.

DOÑA AGUSTINA

¿No entiendo? ¿Quién le ha dicho a usted que...?

DON ELEUTERIO

Por Dios, Agustina, no te desazones. Ya ves *(se levanta colérica, y don Eleuterio la hace sentar)* cómo estás... ¡Válgame Dios, señor! Pero, amigo *(a don Hermógenes)*, no sé qué pensar de usted.

DON HERMÓGENES

Piense usted lo que quiera. Yo pienso de su obra lo que ha pensado el público; pero soy su amigo de usted, y aunque vaticiné el éxito infausto que ha tenido, no quise anticiparle una pesadumbre, porque, como dice Platón y el abate Lampillas...

Don Eleuterio

Digan lo que quieran. Lo que yo digo es que usted me ha engañado como un chino. Si yo me aconsejaba con usted; si usted ha visto la obra lance por lance y verso por verso; si usted me ha exhortado a concluir las otras que tengo manuscritas; si usted me ha llenado de elogios y de esperanzas; si me ha hecho usted creer que yo era un grande hombre, ¿cómo me dice usted ahora eso? ¿Cómo ha tenido usted corazón para exponerme a los silbidos, al palmoteo y a la zumba de esta tarde?

Don Hermógenes

Usted es pacato y pusilánime en demasía... ¿Por qué no le anima a usted el ejemplo? ¿No ve usted esos autores que componen para el teatro, con cuánta imperturbabilidad toleran los vaivenes de la fortuna? Escriben, los silban, y vuelven a escribir; vuelven a silbarlos, y vuelven a escribir... ¡Oh, almas grandes, para quienes los chiflidos son arrullos y las maldiciones alabanzas!

Doña Mariquita

¿Y qué quiere usted *(levántase)* decir con eso? Ya no tengo paciencia para callar más. ¿Qué quiere usted decir? ¿Que mi pobre hermano vuelva otra vez...?

Don Hermógenes

Lo que quiero decir es que estoy de prisa y me voy.

Doña Agustina

Vaya usted con Dios, y haga usted cuenta que no nos ha conocido. ¡Picardía! No sé cómo *(se levanta muy enojada, encaminándose hacia don Hermógenes, que se va retirando de ella)* no me tiro a él... Váyase usted.

Don Hermógenes

¡Gente ignorante!

Doña Agustina

Váyase usted.

Don Eleuterio

¡Picarón!

Don Hermógenes

¡Canalla infeliz!

ESCENA VIII

Don Eleuterio, Don Serapio, Don Antonio,
Don Pedro, Doña Agustina, Doña Mariquita,
Pipí

Don Eleuterio
¡Ingrato, embustero! ¡Después *(se sienta con ademán de abatimiento)* de lo que hemos hecho por él!

Doña Mariquita
Ya ve usted, hermana, lo que ha venido a resultar. Si lo dije, si me lo daba el corazón... Mire usted qué hombre; después de haberme traído en palabras tanto tiempo, y lo que es peor, haber perdido por él la conveniencia de casarme con el boticario, que a lo menos es hombre de bien, y no sabe latín ni se mete en citar autores, como ese bribón... ¡Pobre de mí! Con dieciséis años que tengo, y todavía estoy sin colocar; por el maldito empeño de ustedes de que me había de casar con un erudito que supiera mucho... Mire usted lo que sabe el renegado (Dios me perdone); quitarme mi acomodo, engañar a mi hermano, perderle, y hartarnos de pesadumbres.

Don Antonio
No se desconsuele usted, señorita, que todo se compondrá. Usted tiene mérito, y no la faltarán proporciones mucho mejores que la que ha perdido.

Doña Agustina
Es menester que tengas un poco de paciencia, Mariquita.

Don Eleuterio
La paciencia *(se levanta con viveza)* la necesito yo, que estoy desesperado de ver lo que me sucede.

Doña Agustina
Pero, hombre, ¿qué no has de reflexionar?...

Don Eleuterio
Calla, mujer; calla, por Dios, que tú también...

Don Serapio
No, señor; el mal ha estado en que nosotros no lo advertimos con tiempo... Pero yo le aseguro al guarnicionero y a
sus camaradas que si llegamos a pillarlos, solfeo de mojicones como el que han de llevar no le... la comedia es
buena, señor; créame usted a mí; la comedia es buena. Ahí
no ha habido más sino que los de allá se han unido y...

Don Eleuterio
Yo ya estoy en que la comedia no es tan mala, y que hay
muchos partidos; pero lo que a mí me...

Don Pedro
¿Todavía está usted en esa equivocación?

Don Antonio
(Ap. a don Pedro.) Déjele usted.

Don Pedro
No quiero dejarle; me da compasión... Y sobre todo, es
demasiada necedad, después de lo que ha sucedido, que todavía esté creyendo el señor que su obra es buena. ¿Por qué
ha de serlo? ¿Qué motivos tiene usted para acertar? ¿Qué ha
estudiado usted? ¿Quién le ha enseñado el arte? ¿Qué modelos se ha propuesto usted para la imitación? ¿No ve usted
que en todas las facultades hay un método de enseñanza,
y unas reglas que seguir y observar; que a ellas debe acompañar una aplicación constante y laboriosa; y que sin estas
circunstancias, unidas al talento, nunca se formarán grandes profesores, porque nadie sabe sin aprender? ¿Pues por
dónde usted, que carece de tales requisitos, presume que
habrá podido hacer algo bueno? ¿Qué, no hay más sino meterse a escribir, a salga lo que salga, y en ocho días zurcir
un embrollo, ponerle en malos versos, darle al teatro, y ya
soy autor? ¿Qué?, ¿no hay más que escribir comedias? Si
han de ser como la de usted o como las demás que se la parecen, poco talento, poco estudio y poco tiempo son necesarios; pero si han de ser buenas (créame usted), se necesita
toda la vida de un hombre, un ingenio muy sobresaliente, un

estudio infatigable, observación continua, sensibilidad, juicio
exquisito; y todavía no hay seguridad de llegar a la perfección.

DON ELEUTERIO
Bien está, señor; será todo lo que usted dice; pero ahora
no se trata de eso. Si me desespero y me confundo, es por
ver que todo se me descompone, que he perdido mi tiempo,
que la comedia no vale un cuarto, que he gastado en la impresión lo que no tenía...

DON ANTONIO
No, la impresión con el tiempo se venderá.

DON PEDRO
No se venderá, no, señor. El público no compra en la
librería las piezas que silba en el teatro. No se venderá.

DON ELEUTERIO
Pues, vea usted, no se venderá, y pierdo ese dinero, y por
otra parte... ¡Válgame Dios! Yo, señor, seré lo que ustedes
quieran; seré mal poeta, seré un zopenco; pero soy hombre
de bien. Ese picarón de don Hermógenes me ha estafado
cuanto tenía para pagar sus trampas y sus embrollos; me ha
metido en nuevos gastos, y me deja imposibilitado de cumplir como es regular con los muchos acreedores que tengo.

DON PEDRO
Pero ahí no hay más que hacerles una obligación de irlos
pagando poco a poco, según el empleo o facultad que usted
tenga, y arreglándose a una buena economía.

DOÑA AGUSTINA
¡Qué empleo ni qué facultad, señor! Si el pobrecito no
tiene ninguna.

DON PEDRO
¿Ninguna?

DON ELEUTERIO
No, señor. Yo estuve en esa lotería de ahí arriba; después
me puse a servir a un caballero indiano, pero se murió; lo
dejé todo, y me metí a escribir comedias, porque ese don
Hermógenes me engatusó y...

DOÑA MARIQUITA

¡Maldito sea él!

DON ELEUTERIO

Y si fuera decir estoy solo, anda con Dios; pero casado,
y con una hermana, y con aquellas criaturas...

DON ANTONIO

¿Cuántas tiene usted?

DON ELEUTERIO

Cuatro, señor; que el mayorcito no pasa de cinco años.

DON PEDRO

¡Hijos tiene! (*Ap. con ternura.* ¡Qué lástima!)

DON ELEUTERIO

Pues si no fuera por eso...

DON PEDRO

(*Ap.* ¡Infeliz!) Yo, amigo, ignoraba que del éxito de la
obra de usted pendiera la suerte de esa pobre familia. Yo
también he tenido hijos. Ya no los tengo, pero sé lo que
es el corazón de un padre. Dígame usted: ¿sabe usted contar?
¿Escribe usted bien?

DON ELEUTERIO

Sí, señor, lo que es así cosa de cuentas, me parece que
sé bastante. En casa de mi amo... porque yo, señor, he sido
paje... Allí, como digo, no había más mayordomo que yo. Yo
era el que gobernaba la casa; como, ya se ve, estos señores
no entienden de eso. Y siempre me porté como todo el
mundo sabe. Eso sí, lo que es honradez y... ¡vaya! Ninguno
ha tenido que...

DON PEDRO

Lo creo muy bien.

DON ELEUTERIO

En cuanto a escribir, yo aprendí en los Escolapios, y
luego me he soltado bastante, y sé alguna cosa de ortografía... Aquí tengo... Vea usted (*saca un papel y se le da a
don Pedro*). Ello está escrito algo de prisa, porque ésta es

una tonadilla que se había de cantar mañana... ¡Ay, Dios
mío!

DON PEDRO
Me gusta la letra, me gusta.

DON ELEUTERIO
Sí, señor, tiene su introduccioncita, luego entran las coplillas satíricas con su estribillo, y concluye con las...

DON PEDRO
No hablo de eso, hombre, no hablo de eso. Quiero decir
que la forma de la letra es muy buena. La tonadilla ya se
conoce que es prima hermana de la comedia.

DON ELEUTERIO
Ya.
DON PEDRO
Es menester que se deje usted de esas tonterías.
(Volviéndole el papel.)

DON ELEUTERIO
Ya lo veo, señor; pero si parece que el enemigo...

DON PEDRO
Es menester olvidar absolutamente esos devaneos; ésta
es una condición precisa que exijo de usted. Yo soy rico,
muy rico, y no acompaño con lágrimas estériles las desgracias de mis semejantes. La mala fortuna a que le han
reducido a usted sus desvaríos necesita, más que consuelos
y reflexiones, socorros efectivos y prontos. Mañana quedarán
pagadas por mí todas las deudas que usted tenga.

DON ELEUTERIO
Señor, ¿qué dice usted?

DOÑA AGUSTINA
¿De veras, señor? ¡Válgame Dios!

DOÑA MARIQUITA
¿De veras?

Don Pedro

Quiero hacer más. Yo tengo bastantes haciendas cerca
de Madrid; acabo de colocar a un mozo de mérito, que
entendía en el gobierno de ellas. Usted, si quiere, podrá
irse instruyendo al lado de mi mayordomo, que es hombre
honradísimo; y desde luego puede usted contar con una
fortuna proporcionada a sus necesidades. Esta señora de-
berá contribuir por su parte a hacer feliz el nuevo destino
que a usted le propongo. Si cuida de su casa, si cría bien
a sus hijos, si desempeña como debe los oficios de esposa
y madre, conocerá que sabe cuanto hay que saber, y cuanto
conviene a una mujer de su estado y sus obligaciones. Usted,
señorita, no ha perdido nada en no casarse con el pedantón
de don Hermógenes; porque, según se ha visto, es un malvado que la hubiera hecho infeliz; y si usted disimula un
poco las ganas que tiene de casarse, no dudo que hallará
muy presto un hombre de bien que la quiera. En una palabra, yo haré en favor de ustedes todo el bien que pueda;
no hay que dudarlo. Además, yo tengo muy buenos amigos
en la corte, y... Créanme ustedes, soy algo áspero en mi carácter, pero tengo el corazón muy compasivo.[20]

Doña Mariquita

¡Qué bondad!
*(Don Eleuterio, su mujer y su hermana quieren arro-
dillarse a los pies de don Pedro; él lo estorba y los abraza cariñosamente.)*

Don Eleuterio

¡Qué generoso!

Don Pedro

Esto es ser justo. El que socorre la pobreza, evitando a
un infeliz la desesperación y los delitos, cumple con su obligación; no hace más.

20. A las admirables condiciones intelectuales que hemos ido de-
tectando en la figura de don Pedro, podemos añadir su condición de
hombre sensible. Como en el caso de *El viejo y la niña*, la diferencia de edad cuenta. Es, en último término, el mismo contraste que
hallaremos en la otra comedia que incluimos en este volumen, titulada precisamente *El sí de las niñas*, y obsérvese que el desenlace
comprensivo con que el hombre maduro resuelve el problema sentimental de la muchacha enamorada se anticipa también en la actitud com-
prensiva y tierna de don Antonio por la joven doña Mariquita.

DON ELEUTERIO
Yo no sé cómo he de pagar a usted tantos beneficios.

DON PEDRO
Si usted me los agradece, ya me los paga.

DON ELEUTERIO
Perdone usted, señor, las locuras que he dicho y el mal modo...

DOÑA AGUSTINA
Hemos sido muy imprudentes.

DON PEDRO
No hablemos de eso.

DON ANTONIO
¡Ah, don Pedro! ¡Qué lección me ha dado usted esta tarde!

DON PEDRO
Usted se burla. Cualquiera hubiera hecho lo mismo en iguales circunstancias.

DON ANTONIO
Su carácter de usted me confunde.

DON PEDRO
¡Eh!, los genios serán diferentes; pero somos muy amigos. ¿No es verdad?

DON ANTONIO
¿Quién no querrá ser amigo de usted?

DON SERAPIO
Vaya, vaya; yo estoy loco de contento.

DON PEDRO
Más lo estoy yo; porque no hay placer comparable al que resulta de una acción virtuosa. Recoja usted esa comedia *(al ver la comedia que está leyendo Pipí)*; no se quede por ahí perdida, y sirva de pasatiempo a la gente burlona que llegue a verla.

Don Eleuterio

¡Mal haya la comedia *(arrebata la comedia de manos de Pipí, y la hace pedazos)*, amén, y mi docilidad y mi tontería! Mañana, así que amanezca, hago una hoguera con todo cuanto tengo impreso y manuscrito, y no ha de quedar en mi casa un verso.

Doña Mariquita

Yo encenderé la pajuela.

Doña Agustina

Y yo aventaré las cenizas.

Don Pedro

Así debe ser. Usted, amigo, ha vivido engañado; su amor propio, la necesidad, el ejemplo y la falta de instrucción le han hecho escribir disparates. El público le ha dado a usted una lección muy dura, pero muy útil puesto que por ella se reconoce y se enmienda. ¡Ojalá los que hoy tiranizan y corrompen el teatro por el maldito furor de ser autores, ya que desatinan como usted, le imitaran en desengañarse.

EL SÍ DE LAS NIÑAS

EL SÍ DE LAS NIÑAS [1]

COMEDIA EN TRES ACTOS, EN PROSA

PERSONAS

Don Diego
Don Carlos
Doña Irene
Doña Francisca
Rita
Simón
Calamocha

La escena es en una posada de Alcalá de Henares.[2]

El teatro representa una sala de paso con cuatro puertas de habitaciones para huéspedes, numeradas todas. Una más grande en el foro, con escalera que conduce al piso bajo de la casa. Ventana de antepecho a un lado. Una mesa en medio, con banco, sillas, etc. La acción empieza a las siete de la tarde y acaba a las cinco de la mañana siguiente.[3]

1. *El sí de las niñas* se estrenó en el teatro de la Cruz el 24 de enero de 1806, y según el mismo Moratín: «si puede dudarse cuál sea entre las comedias del autor la más estimable, no cabe duda en que ésta ha sido la que el público español recibió con mayores aplausos».
2. *La escena es una posada de Alcalá de Henares.* La *unidad de lugar* queda ya fijada para toda la obra, como en *La comedia nueva*, la acción se desarrolla íntegramente en la sala de una café. Goldoni, gran maestro del teatro de la época, sitúa en una posada la acción de *La locandiera* y en un café *La bottega di café*. Se comprende que, en una comedia de enredo, estos lugares permiten el encuentro de numerosos personajes. Alcalá de Henares, a unos pocos kilómetros de Madrid, era lugar de detención obligada de los carruajes que hacían el trayecto desde la capital de España a Zaragoza.
3. Moratín señala aquí la *unidad de tiempo*; como ya sabemos, según las normas de la época, la acción de una comedia no podía durar más de veinticuatro horas. La *unidad de acción*, que se deriva de las otras dos unidades, completa el famoso terceto de unidades del teatro neoclásico.

ACTO PRIMERO

ESCENA I

DON DIEGO, SIMÓN

(Sale don Diego de su cuarto. Simón, que está sentado en una silla, se levanta.) [4]

DON DIEGO

¿No han venido todavía?

SIMÓN

No, señor.

DON DIEGO

Despacio [5] la han tomado por cierto.

SIMÓN

Como su tía la quiere tanto, según parece, y no la ha visto desde que la llevaron a Guadalajara...[6]

DON DIEGO

Sí. Yo no digo que no la viese; pero con media hora de visita y cuatro lágrimas estaba concluido.

SIMÓN

Ello también ha sido extraña determinación la de estarse usted dos días enteros sin salir de la posada. Cansa el leer, cansa el dormir... Y, sobre todo, cansa la mugre del cuarto, las sillas desvencijadas, las estampas del *hijo*

---

4. Con esta acotación se marca el respeto de Simón hacia don Diego, haciendo notar su condición de sirviente o criado.
5. Con mucha calma.
6. Guadalajara se encuentra a pocos kilómetros de Alcalá, en la misma ruta que conduce de Madrid a Zaragoza.

pródigo, el ruido de campanillas y cascabeles, y la conversación ronca de carromateros y patanes, que no permiten un instante de quietud.[7]

Don Diego

Ha sido conveniente el hacerlo así. Aquí me conocen todos, y no he querido que nadie me vea.

Simón

Yo no alcanzo la causa de tanto retiro. Pues ¿hay más en esto que haber acompañado usted a doña Irene hasta Guadalajara, para sacar del convento a la niña y volvernos con ellas a Madrid?

Don Diego

Sí, hombre; algo más hay de lo que has visto.

Simón

Adelante.

Don Diego

Algo, algo... Ello tú al cabo lo has de saber, y no puede tardarse mucho... Mira, Simón, por Dios te encargo que no lo digas... Tú eres hombre de bien, y me has servido muchos años con fidelidad. Ya ves que hemos sacado a esa niña del convento y nos la llevamos a Madrid.

Simón

Sí, señor.

Don Diego

Pues bien... Pero te vuelvo a encargar que a nadie lo descubras.

Simón

Bien está, señor. Jamás he gustado de chismes.

Don Diego

Ya lo sé, por eso quiero fiarme de ti. Yo, la verdad, nunca había visto a la tal doña Paquita; pero mediante la amistad con su madre, he tenido frecuentes noticias de

7. Aquí critica Moratín, como lo hará Larra unos años después, el desaliño de las posadas españolas, el mal gusto de la decoración (con estampas populares que reproducen la parábola evangélica del *Hijo Pródigo*), los ruidos de los carruajes y carromatos y las conversaciones de sus conductores *(carromateros)* y gente zafia *(patanes)*.

ella; he leído muchas de las cartas que escribía; he visto algunas de su tía la monja, con quien ha vivido en Guadalajara; en suma, he tenido cuantos informes pudiera desear acerca de sus inclinaciones y conducta. Ya he logrado verla; he procurado observarla en estos pocos días, y a decir verdad, cuantos elogios hicieron de ella me parecen escasos.

SIMÓN

Sí, por cierto... Es muy linda y...

DON DIEGO

Es muy linda, muy graciosa, muy humilde... Y, sobre todo, ¡aquel candor, aquella inocencia! Vamos, es de lo que no se encuentra por ahí... Y talento..., Sí, señor, mucho talento... Conque, para acabar de informarte, lo que yo he pensado es...

SIMÓN

No hay que decírmelo.

DON DIEGO

¿No? ¿Por qué?

SIMÓN

Porque ya lo adivino. Y me parece excelente idea.

DON DIEGO

¿Qué dices?

SIMÓN

Excelente.

DON DIEGO

¿Conque al instante has conocido?...

SIMÓN

¿Pues no es claro?... ¡Vaya!... **Dígole a usted que me** parece muy buena boda; buena, buena.[8]

DON DIEGO

Sí, señor... Yo lo he mirado bien, y lo tengo por cosa muy acertada.

SIMÓN

Seguro que sí.

8. Simón se imagina que don Diego proyecta la boda de Paquita con su joven sobrino.

DON DIEGO

Pero quiero absolutamente que no se sepa hasta que esté
hecho.

SIMÓN

Y en eso hace usted bien.

DON DIEGO

Porque no todos ven las cosas de una manera, y no fal-
taría quien murmurase y dijese que era una locura, y me...

SIMÓN

¿Locura? ¡Buena locura!... Con una chica como ésa, ¿eh?

DON DIEGO

Pues ya ves tú. Ella es una pobre... Eso sí... Pero yo no
he buscado dinero, que dineros tengo; he buscado modestia,
recogimiento, virtud.

SIMÓN

Eso es lo principal... Y, sobre todo, lo que usted tiene
¿para quién ha de ser?

DON DIEGO

Dices bien... ¿Y sabes tú lo que es una mujer aprovecha-
da, hacendosa, que sepa cuidar de la casa, economizar, estar
en todo?... Siempre lidiando con amas, que si una es mala,
otra es peor, regalonas, entremetidas, habladoras, llenas de
histérico, viejas, feas como demonios... No, señor; vida
nueva. Tendré quien me asista con amor y fidelidad, y vivi-
remos como unos santos... Y deja que hablen y murmu-
ren y...

SIMÓN

Pero siendo a gusto de entrambos, ¿qué pueden decir?

DON DIEGO

No, yo ya sé lo que dirán; pero... Dirán que la boda es
desigual, que no hay proporción en la edad, que...

SIMÓN

Vamos, que no me parece tan notable la diferencia.
Siete u ocho años a lo más.

DON DIEGO

¡Qué, hombre! ¿Qué hablas de siete u ocho años? Si ella ha cumplido dieciséis años pocos meses ha.

SIMÓN

Y bien, ¿qué?

DON DIEGO

Y yo, aunque gracias a Dios estoy robusto y... Con todo eso, mis cincuenta y nueve años no hay quien me los quite.

SIMÓN

Pero si yo no hablo de eso.

DON DIEGO

Pues ¿de qué hablas?

SIMÓN

Decía que... Vamos, o usted no acaba de explicarse, o yo lo entiendo al revés... En suma, esta doña Paquita ¿con quién se casa?

DON DIEGO

¿Ahora estamos ahí? Conmigo.

SIMÓN

¿Con usted?

DON DIEGO

Conmigo.

SIMÓN

¡Medrados quedamos! [9]

DON DIEGO

¿Qué dices? Vamos, ¿qué?...

SIMÓN

¡Y pensaba yo haber adivinado!

DON DIEGO

Pues ¿qué creías? ¿Para quién juzgaste que la destinaba yo?

---

9. «¡Estamos aviados!» Frase que resume la sorpresa y la estupefacción de Simón.

SIMÓN

Para don Carlos, su sobrino de usted, mozo de talento, instruido, excelente soldado, amabilísimo por todas sus circunstancias... Para ése juzgué que se guardaba la tal niña.

DON DIEGO

Pues no, señor.

SIMÓN

Pues bien está.

DON DIEGO

¡Mire usted qué idea! ¡Con el otro la había de ir a casar!... No, señor; que estudie sus matemáticas.

SIMÓN

Ya las estudia; o, por mejor decir, ya las enseña.

DON DIEGO

Que se haga hombre de valor y...

SIMÓN

¡Valor! ¿Todavía pide usted más valor a un oficial que en la última guerra, con muy pocos que se atrevieron a seguirle, tomó dos baterías, clavó los cañones, hizo algunos prisioneros, y volvió al campo lleno de heridas y cubierto de sangre?... Pues bien satisfecho quedó usted entonces del valor de su sobrino; y yo le vi a usted más de cuatro veces llorar de alegría cuando el rey le premió con el grado de teniente coronel y una cruz de Alcántara.

DON DIEGO

Sí, señor; todo es verdad; pero no viene a cuento. Yo soy el que me caso.

SIMÓN

Si está usted bien seguro de que ella le quiere, si no le asusta la diferencia de la edad, si su elección es libre...

DON DIEGO

Pues ¿no ha de serlo?... ¿Y qué sacarían con engañarme? Ya ves tú la religiosa de Guadalajara si es mujer de juicio; esta de Alcalá, aunque no la conozco, sé que es una señora de excelentes prendas; mira tú si doña Irene querrá el bien de su hija; pues todas ellas me han dado cuantas seguridades puedo apetecer... La criada, que la ha servido en Madrid y más de cuatro años en el convento, se hace lenguas de ella; y sobre todo me ha informado de que jamás observó en esta criatura la más remota inclinación a ninguno de los pocos hombres que ha podido ver en aquel encierro. Bordar, coser, leer libros devotos, oír misa y correr por la huerta detrás de las mariposas, éstas han sido su ocupación y sus diversiones...[10] ¿Qué dices?

SIMÓN

Yo nada, señor.

DON DIEGO

Y no pienses tú que, a pesar de tantas seguridades, no aprovecho las ocasiones que se presentan para ir ganando su amistad y su confianza, y lograr que se explique conmigo en absoluta libertad... Bien que aún hay tiempo... Sólo que aquella doña Irene siempre la interrumpe; todo se lo habla... Y es muy buena mujer, buena...

SIMÓN

En fin, señor, yo desearé que salga como usted apetece.

DON DIEGO

Sí; yo espero en Dios que no ha de salir mal. Aunque el novio no es muy de tu gusto... ¡Y qué fuera de tiempo me recomendabas al tal sobrinito! ¿Sabes tú lo enfadado que estoy con él?

SIMÓN

Pues ¿qué ha hecho?

DON DIEGO

Una de las suyas... Y hasta pocos días ha no lo he sabido. El año pasado, ya lo viste, estuvo dos meses en Madrid... Y me costó buen dinero la tal visita... En fin, es mi sobrino, bien dado está; pero voy al asunto. Llegó el caso de irse a Zaragoza su regimiento... Ya te acuerdas de que a muy pocos días de haber salido de Madrid recibí la noticia de su llegada.

10. Aquí resume Moratín la pacata educación que entonces recibían las muchachas en los conventos.

SIMÓN

Sí, señor.

DON DIEGO

Y que siguió escribiéndome, aunque algo perezoso, siempre con la data de Zaragoza.

SIMÓN

Así es la verdad.

DON DIEGO

Pues el pícaro no estaba allí cuando me escribía las tales cartas.

SIMÓN

¿Qué dice usted?

DON DIEGO

Sí, señor. El día tres de julio salió de mi casa, y a fines de septiembre aún no había llegado a sus pabellones... ¿No te parece que para ir por la posta [11] hizo muy buena diligencia?

SIMÓN

Tal vez se pondría malo en el camino, y por no darle a usted pesadumbre...

DON DIEGO

Nada de eso. Amores del señor oficial y devaneos que le traen loco... Por ahí en esas ciudades puede que... ¿Quién sabe? Si encuentra un par de ojos negros, ya es hombre perdido... ¡No permita Dios que me le engañe alguna bribona [12] de estas que truecan el honor por el matrimonio!

SIMÓN

¡Oh!, no hay que temer... Y si tropieza con alguna fullera de amor, [13] buenas cartas ha de tener para que le engañe.

DON DIEGO

Me parece que estás ahí... Sí. Busca al mayoral, [14] y dile

11. «Ir por la posta», es decir, por el servicio ordinario de carruajes. Verdaderamente, el sobrino se entretuvo bastante. Ya veremos la causa.
12. Pícara, redomada.
13. Tramposa, mujer de malas costumbres.
14. Encargado de los carruajes.

que venga, para quedar de acuerdo en la hora a que deberemos salir mañana.

SIMÓN

Bien está.

DON DIEGO

Ya te he dicho que no quiero que esto se traduzca, no... ¿Estamos?

SIMÓN

No hay miedo que a nadie lo cuente.

(Simón se va por la puerta del foro.[15] Salen por la misma las tres mujeres con mantillas y basquiñas.[16] Rita deja un pañuelo atado sobre la mesa, y recoge las mantillas y las dobla.)

ESCENA II

DOÑA IRENE, DOÑA FRANCISCA, RITA, DON DIEGO

DOÑA FRANCISCA

Ya estamos acá.

DOÑA IRENE

¡Ay, qué escalera!

DON DIEGO

Muy bien venidas, señoras.

DOÑA IRENE

¿Conque usted, a lo que parece, no ha salido? *(Se sientan doña Irene y don Diego.)*

DON DIEGO

No, señora. Luego más tarde daré una vueltecilla por ahí... He leído un rato. Traté de dormir, pero en esta posada no se duerme.

15. Se llama puerta del *foro* la que da sobre el fondo de la escena. Las otras se llaman *lateral derecha* y *lateral izquierda*, según las contempla el espectador.

16. *basquiñas*, sobrefaldas amplias, fruncidas por la cintura.

Doña Francisca

Es verdad que no... ¡Y qué mosquitos! Mala peste en ellos. Anoche no me dejaron parar... Pero mire usted, mire usted (*desata el pañuelo y manifiesta algunas cosas de las que indica el diálogo*) cuántas cosillas traigo. Rosarios de nácar, cruces de ciprés, la regla de San Benito, una pililla de cristal... Mire usted qué bonita. Y dos corazones de talco... ¡Qué sé yo cuánto viene aquí... ¡Ay!, y una campanilla de barro bendito para los truenos...[17] ¡Tantas cosas!

Doña Irene

Chucherías que la han dado las madres. Locas estaban con ella.

Doña Francisca

¡Cómo me quieren todas! ¡Y mi tía, mi pobre tía lloraba tanto!... Es ya muy viejecita.

Doña Irene

Ha sentido mucho no conocer a usted.

Doña Francisca

Sí, es verdad. Decía, ¿por qué no ha venido aquel señor?

Doña Irene

El padre capellán y el rector de los Verdes [18] nos han venido acompañando hasta la puerta.

Doña Francisca

Toma (*vuelve a atar el pañuelo y se lo da a Rita, la cual se va con él y con las mantillas al cuarto de doña Irene*), guárdamelo todo allí, en la escusabaraja.[19] Mira, llévalo así de las puntas... ¡Válgate Dios! ¿Eh? ¡Ya se ha roto la santa Gertrudis de alcorza! [20]

Rita

No importa; yo me la comeré.

17. Superstición piadosa de la época, que consistía en sonar estas campanitas cuando había peligro de tormenta. Cuando Felipe V llegó a España se refugió, durante una tempestad, bajo techado, y no pudo reprimir su asombro cuando vio que los nobles castellanos de su séquito hacían sonar sus campanillas.

18. Se llamaban así unos sacerdotes que regentaban un colegio en Alcalá.

19. *escusabaraja*, faltriquera.

20. *alcorza*, pasta blanca utilizada en dulcería.

ESCENA III

DOÑA IRENE, DOÑA FRANCISCA, DON DIEGO

DOÑA FRANCISCA
¿Nos vamos adentro, mamá, o nos quedamos aquí?

DOÑA IRENE
Ahora, niña, que quiero descansar un rato.

DON DIEGO
Hoy se ha dejado sentir el calor en forma.

DOÑA IRENE
¡Y qué fresco tienen aquel locutorio! [21] Está hecho un cielo... (*Siéntase doña Francisca junto a su madre.*) Mi hermana es la que sigue siempre bastante delicada. Ha padecido mucho este invierno... Pero, vaya, no sabía qué hacerse con su sobrina la buena señora. Está muy contenta de nuestra elección.

DON DIEGO
Yo celebro que sea tan a gusto de aquellas personas a quienes debe usted particulares obligaciones.

DOÑA IRENE
Sí, Trinidad está muy contenta; y en cuanto a Circuncisión, ya lo ha visto usted. La ha costado mucho despegarse de ella; pero ha conocido que siendo para su bienestar, es necesario pasar por todo... Ya se acuerda usted de lo expresiva que estuvo, y...

DON DIEGO
Es verdad. Sólo falta que la parte interesada tenga la misma satisfacción que manifiestan cuantos la quieren bien.

---

21. *locutorio*, habitación en la que las monjas de clausura pueden recibir visitas.

Doña Irene

Es hija obediente, y no se apartará jamás de lo que determine su madre.

Don Diego

Todo eso es cierto, pero...

Doña Irene

Es de buena sangre, y ha de pensar bien, y ha de proceder con el honor que la corresponde.

Don Diego

Sí, ya estoy; pero ¿no pudiera, sin faltar a su honor ni a su sangre?...

Doña Francisca

¿Me voy, mamá? *(Se levanta y vuelve a sentarse.)* [22]

Doña Irene

No pudiera, no, señor. Una niña bien educada, hija de buenos padres, no puede menos de conducirse en todas ocasiones como es conveniente y debido. Un vivo retrato es la chica, ahí donde usted la ve, de su abuela que Dios perdone, doña Jerónima de Peralta... En casa tengo el cuadro, ya le habrá usted visto. Y le hicieron, según me contaba su merced, para enviárselo a su tío carnal el padre fray Serapión de San Juan Crisóstomo, electo obispo de Mechoacán.

Don Diego

Ya.

Doña Irene

Y murió en el mar el buen religioso, que fue un quebranto para toda la familia... Hoy es, y todavía estamos sintiendo su muerte; particularmente mi primo don Cucufate, regidor perpetuo de Zamora, no puede oír hablar de su ilustrísima sin deshacerse en lágrimas.[23]

22. Paquita hace ademán de irse, como dando a entender que esta conversación es propia de quienes, según la costumbre, debían decidir acerca de su matrimonio.

23. Moratín traza irónicamente la estampa de una familia tradicional española en la que abundan, como entonces era frecuente, gentes de Iglesia. La doña Paquita real, que conoció Moratín, estaba emparentada de este modo.

Doña Francisca
Válgate Dios, qué moscas tan...

Doña Irene
Pues murió en olor de santidad.

Don Diego
Eso bueno es.

Doña Irene
Sí, señor; pero como la familia ha venido tan a menos...
¿Qué quiere usted? Donde no hay facultades... Bien que por
lo que puede tronar, ya se le está escribiendo la vida: y
quién sabe que el día de mañana no se imprima, con el
favor de Dios.

Don Diego
Sí, pues ya se ve. Todo se imprime.

Doña Irene
Lo cierto es que el autor, que es sobrino de mi hermano
político el canónigo de Castrojeriz, no la deja de la mano;
y a la hora de ésta lleva ya escritos nueve tomos en folio,
que comprenden los nueve años primeros de la vida del
santo obispo.

Don Diego
¿Conque para cada año un tomo?

Doña Irene
Sí, señor; ese plan se ha propuesto.

Don Diego
¿Y de qué edad murió el venerable?

Doña Irene
De ochenta y dos años, tres meses y catorce días.[24]

Doña Francisca
¿Me voy, mamá?

Doña Irene
Anda, vete. ¡Válgate Dios, qué prisa tienes!

24. En las frases anteriores, Moratín ironiza suavemente acerca
de la gran cantidad de libros de vidas de santos que entonces circula-
ban, con prolijos detalles de escaso valor.

Doña Francisca

¿Quiere usted (*se levanta, y después de hacer una graciosa cortesía a don Diego, da un beso a doña Irene y se va al cuarto de ésta*) que le haga una cortesía a la francesa,[25] señor don Diego?

Don Diego

Sí, hija mía. A ver.

Doña Francisca

Mire usted, así.

Don Diego

¡Graciosa niña! ¡Viva la Paquita, viva!

Doña Francisca

Para usted una cortesía, y para mi mamá un beso.

ESCENA IV

Doña Irene, Don Diego

Doña Irene

Es muy gitana y muy mona,[26] mucho.

Don Diego

Tiene un donaire natural que arrebata.

Doña Irene

¿Qué quiere usted? Criada sin artificio ni embelecos de mundo, contenta de verse otra vez al lado de su madre, y mucho más de considerar tan inmediata su colocación, no es maravilla que cuanto hace y dice sea una gracia, y máxime a los ojos de usted, que tanto se ha empeñado en favorecerla.

---

25. Recuérdese que la moda de la época, tanto en lo intelectual como en las costumbres, era francesa. Una cortesía, una reverencia.
26. «Gitana», en sentido de graciosa; «mona» (que entonces era un neologismo) en el sentido de bonita, linda.

DON DIEGO

Quisiera sólo que se explicase libremente acerca de nuestra proyectada unión y...

DOÑA IRENE

Oiría usted lo mismo que le he dicho ya.

DON DIEGO

Sí, no lo dudo; pero el saber que la merezco alguna inclinación, oyéndoselo decir con aquella boquilla tan graciosa que tiene, sería para mí una satisfacción imponderable.

DOÑA IRENE

No tenga usted sobre ese particular la más leve desconfianza; pero hágase usted cargo de que a una niña no la es lícito decir con ingenuidad lo que siente. Mal parecería, señor don Diego, que una doncella de vergüenza y criada como Dios manda, se atreviese a decirle a un hombre: yo le quiero a usted. [27]

DON DIEGO

Bien; si fuese un hombre a quien hallara por casualidad en la calle y la espetara ese favor de buenas a primeras, cierto que la doncella haría muy mal; pero a un hombre con quien ha de casarse dentro de pocos días, ya pudiera decirle alguna cosa que... Además, que hay ciertos modos de explicarse...

DOÑA IRENE

Conmigo usa de más franqueza... A cada instante hablamos de usted, y en todo manifiesta el particular cariño que a usted le tiene... ¡Con qué juicio hablaba ayer noche después que usted se fue a recoger! No sé lo que hubiera dado porque hubiese podido oírla.

DON DIEGO

¿Y qué? ¿Hablaba de mí?

DOÑA IRENE

Y qué bien piensa acerca de lo preferible que es para

27. Obsérvese que el hábito de arreglar los matrimonios de los hijos llegaba hasta el extremo de considerarse una indecencia la libre y espontánea expresión de los sentimientos.

una criatura de sus años un marido de cierta edad, expe-
rimentado, maduro y de conducta...

DON DIEGO
¡Calle! ¿Eso decía?

DOÑA IRENE
No; esto se lo decía yo, y me escuchaba con una atención como si fuera una mujer de cuarenta años, lo mismo...[28] ¡Buenas cosas le dije! Y ella, que tiene mucha penetración, aunque me esté mal el decirlo... ¿Pues no da lástima, señor, el ver cómo se hacen los matrimonios hoy en
día? Casan a una muchacha de quince años con un arrapie-
zo de dieciocho, a una de diecisiete con otro de veintidós:
ella niña, sin juicio ni experiencia, y él niño también, sin aso-
mo de cordura ni conocimiento de lo que es mundo. Pues,
señor, que es lo que yo digo, ¿quién ha de gobernar la casa?
¿Quién ha de mandar a los criados? ¿Quién ha de enseñar
y corregir a los hijos? Porque sucede también que estos
atolondrados de chicos suelen plagarse de criaturas en un
instante, que da compasión.

DON DIEGO
Cierto que es un dolor el ver rodeados de hijos a muchos
que carecen del talento, de la experiencia y de la virtud que
son necesarias para dirigir su educación.

DOÑA IRENE
Lo que sé decirle a usted es que aún no había cumplido
los diecinueve cuando me casé de primeras nupcias con mi
difunto don Epifanio, que esté en el cielo. Y era un hombre
que, mejorando lo presente, no es posible hallarle de más
respeto, más caballeroso... Y al mismo tiempo más diver-
tido y decidor. Pues, para servir a usted, ya tenía los cincuenta y seis, muy largos de talle, cuando se casó conmigo.

DON DIEGO
Buena edad... No era un niño; pero...

---

28. Paquita se defiende con su silencio, frente a los proyectos de
su madre.

DOÑA IRENE

Pues a eso voy... Ni a mí podía convenirme en aquel entonces un boquirrubio con los cascos a la jineta...[29] Y no es decir tampoco que estuviese achacoso ni quebrantado de salud, nada de eso. Sanito estaba, gracias a Dios, como una manzana; ni en su vida conoció otro mal, sino una especie de alferecía [30] que le amagaba de cuando en cuando. Pero luego que nos casamos, dio en darle tan a menudo y tan recio, que a los siete meses me hallé viuda y encinta de una criatura que nació después, y al cabo y al fin se murió de alfombrilla.[31]

DON DIEGO

¡Oiga!... Mire usted si dejó sucesión el bueno de don Epifanio.

DOÑA IRENE

Sí, señor; ¿Pues por qué no?

DON DIEGO

Lo digo porque luego saltan con... Bien que si uno hubiera de hacer caso... ¿Y fue niño, o niña?

DOÑA IRENE

Un niño muy hermoso. Como una plata era el angelito.

DON DIEGO

Cierto que es consuelo tener, así, una criatura y...

DOÑA IRENE

¡Ay, señor! Dan malos ratos, pero ¿qué importa? Es mucho gusto, mucho.

DON DIEGO

Ya lo creo.

DOÑA IRENE

Sí, señor.

DON DIEGO

Ya se ve que será una delicia y...

29. *boquirrubio con los cascos a la jineta*, es decir, un mozo atolondrado.
30. *alferecía*, epilepsia.
31. *alfombrilla*, es la enfermedad que después se ha llamado escarlatina.

DOÑA IRENE

¡Pues no ha de ser!

DON DIEGO

Un embeleso el verlos juguetear y reír, y acariciarlos, y merecer sus fiestecillas inocentes.

DOÑA IRENE

¡Hijos de mi vida! Veintidós he tenido en los tres matrimonios que llevo hasta ahora, de los cuales sólo esta niña me ha venido a quedar;[32] pero le aseguro a usted que...

ESCENA V

SIMÓN, DOÑA IRENE, DON DIEGO

SIMÓN
(Sale por la puerta del foro.)
Señor, el mayoral está esperando.

DON DIEGO

Dile que voy allá... ¡Ah! Tráeme primero el sombrero y el bastón, que quisiera dar una vuelta por el campo. *(Entra Simón al cuarto de don Diego, saca un sombrero y un bastón, se los da a su amo, y al fin de la escena se va con él por la puerta del foro.)* Conque ¿supongo que mañana tempranito saldremos?

DOÑA IRENE

No hay dificultad. A la hora que a usted le parezca.

DON DIEGO

A eso de las seis. ¿Eh?

DOÑA IRENE

Muy bien.

32. La falta de cuidados higiénicos producía un cuadro espantoso de mortalidad infantil que Moratín seguramente exagera.

DON DIEGO

El sol nos da de espaldas... Le diré que venga una media hora antes.

DOÑA IRENE

Sí, hay mil chismes que acomodar.

ESCENA VI

DOÑA IRENE, RITA

DOÑA IRENE

¡Válgame Dios! Ahora que me acuerdo... ¡Rita!... Me le habrán dejado morir. ¡Rita!

RITA

Señora. *(Saca debajo del brazo almohadas y sábanas.)*

DOÑA IRENE

¿Qué has hecho del tordo? ¿Le diste de comer?

RITA

Sí, señora. Más ha comido que un avestruz. Ahí le puse en la ventana del pasillo.

DOÑA IRENE

¿Hiciste las camas?

RITA

La de usted ya está. Voy a hacer esotras antes que anochezca, porque si no, como no hay más alumbrado que el del candil y no tiene garabato, me veo perdida.

DOÑA IRENE

Y aquella chica, ¿qué hace?

RITA

Está desmenuzando un bizcocho para dar de cenar a don Periquito.

DOÑA IRENE

¡Qué pereza tengo de escribir! *(Se levanta y se entra en*

su cuarto.) Pero es preciso, que estará con mucho cuidado
la pobre Circuncisión.

RITA

¡Qué chapucerías! No ha dos horas, como quien dice,
que salimos de allá, y ya empiezan a ir y venir correos. ¡Qué
poco me gustan a mí las mujeres gazmoñas y zalameras!
(Éntrase en el cuarto de doña Francisca.)

ESCENA VII

CALAMOCHA

*(Sale por la puerta del foro con unas maletas, botas y
látigo. Lo deja todo sobre la mesa y se sienta.)* ¿Conque ha
de ser el número tres? Vaya en gracia... Ya, ya conozco el
número tres. Colección de bichos más abundante no la tiene
el Gabinete de Historia Natural...[33] Miedo me da de entrar...
¡Ay!, ¡ay!... ¡Y qué agujetas! Éstas sí que son agujetas...
Paciencia, pobre Calamocha; paciencia... Y gracias a que los
caballitos dijeron: no podemos más; que si no, por esta vez
no veía yo el número tres, ni las plagas de Faraón que
tiene dentro... En fin, como los animales amanezcan vivos,
no será poco... Reventados están... *(Canta Rita desde adentro. Calamocha se levanta desperezándose.)* ¡Oiga!... ¿Seguidillas?...[34] Y no canta mal... Vaya, aventura tenemos... ¡Ay,
qué desvencijado estoy!

---

33. La habitación número 3 tiene, como decoración, algunos graba-
dos de animales, sacados, sin duda, de las obras de grandes natura-
listas, como Buffon, muy en boga en aquella época.
34. Rita canta unas *seguidillas*, coplas populares, con versos alter-
nados de siete y cinco sílabas.

ESCENA VIII

RITA, CALAMOCHA

RITA

Mejor es cerrar, no sea que nos alivien de ropa, y... *(forcejeando para echar la llave).* Pues cierto que está bien acondicionada la llave.

CALAMOCHA

¿Gusta usted de que eche una mano, mi vida?

RITA

Gracias, mi alma.

CALAMOCHA

¡Calle!... ¡Rita!

RITA

¡Calamocha!

CALAMOCHA

¿Qué hallazgo es éste?

RITA

¿Y tu amo?

CALAMOCHA

Los dos acabamos de llegar.

RITA

¿De veras?

CALAMOCHA

No, que es chanza.[35] Apenas recibió la carta de doña Paquita, yo no sé adónde fue, ni con quién habló, ni cómo lo dispuso; sólo sé decirte que aquella tarde salimos de Zaragoza. Hemos venido como dos centellas por ese camino. Llegamos esta mañana a Guadalajara, y a las primeras diligencias nos hallamos con que los pájaros volaron ya. A ca-

35. A la pregunta de Rita, contesta Calamocha «no, que es chanza», bromeando, ya que bien clara está la presencia de ambos.

ballo otra vez, y vuelta a correr y a sudar y a dar chasqui-
dos... En suma, molidos los rocines, y nosotros a medio
moler, hemos parado aquí con ánimo de salir mañana... Mi
teniente se ha ido al Colegio Mayor [36] a ver a un amigo,
mientras se dispone algo que cenar... Ésta es la historia.

RITA

¿Conque le tenemos aquí?

CALAMOCHA

Y enamorado más que nunca, celoso, amenazando vidas... Aventurado a quitar el hipo a cuantos le disputen la
posesión de su Currita [37] idolatrada.

RITA

¿Qué dices?

CALAMOCHA

Ni más ni menos.

RITA

¡Qué gusto me das!... Ahora sí se conoce que la tiene
amor.

CALAMOCHA

¿Amor?... ¡Friolera! El moro Gazul [38] fue para él un pe-
lele, Medoro [39] un zascandil y Gaiferos [40] un chiquillo de la
doctrina.

RITA

¡Ay, cuando la señorita lo sepa!

CALAMOCHA

Pero acabemos. ¿Cómo te hallo aquí? ¿Con quién estás?
¿Cuándo llegaste? Que...

---

36. Se llamaban así los centros de enseñanza y las residencias de
profesores y estudiantes. Recuérdese que Alcalá tenía una famosa universidad. Aquí alude Moratín al famoso Colegio de San Ildefonso.
37. *Currita, Curra*, son nombres familiares y afectuosos de Francisca, o Paquita.
38. *Gazul*, nombre de un famoso galán de los romances moriscos.
39. *Medoro*, personaje novelesco de los poemas pastoriles, enamorado de Angélica.
40. *Gaiferos*, famoso personaje de los romances carolingios, enamorado de Melisendra, a la que rapta de su encierro. El episodio ha sido
inmortalizado por Cervantes en el *Quijote* («Retablo de Maese Pedro»).

RITA

Yo te lo diré. La madre de doña Paquita dio en escribir cartas y más cartas, diciendo que tenía concertado su casamiento en Madrid con un caballero rico, honrado, bienquisto; en suma, cabal y perfecto, que no había más que apetecer. Acosada la señorita con tales propuestas, y angustiada incesantemente con los sermones de aquella bendita monja, se vio en la necesidad de responder que estaba pronta a todo lo que la mandasen... Pero no te puedo ponderar cuánto lloró la pobrecita, qué afligida estuvo. Ni quería comer, ni podía dormir... Y al mismo tiempo era preciso disimular, para que su tía no sospechara la verdad del caso. Ello es que cuando, pasado el primer susto, hubo lugar de discurrir escapatorias y arbitrios, no hallamos otro que el de avisar a tu amo, esperando que si era su cariño tan verdadero y de buena ley como nos había ponderado, no consentiría que su pobre Paquita pasara a manos de un desconocido, y se perdiesen para siempre tantas caricias, tantas lágrimas y tantos suspiros estrellados en las tapias del corral. A pocos días de haberle escrito cata el coche de colleras y el mayoral Gasparet [41] con sus medias azules, y la madre y el novio que vienen por ella; recogimos a toda prisa nuestros meriñaques,[42] se atan los cofres, nos despedimos de aquellas buenas mujeres, y en dos latigazos llegamos antes de ayer a Alcalá. La detención ha sido para que la señorita visite a otra tía monja que tiene aquí, tan arrugada y tan sorda como la que dejamos allá. Ya la ha visto, y la han besado bastante una por una todas las religiosas, y creo que mañana temprano saldremos. Por esta casualidad nos...

CALAMOCHA

Sí. No digas más. Pero... ¿Conque el novio está en la posada?

RITA

Ése es su cuarto (señalando el cuarto de don Diego, el de doña Irene y el de doña Francisca), éste es el de la madre y aquel el nuestro.

41. *cata*, mira; *coche de colleras*, de caballos enjaezados; *Gasparet*, es diminutivo catalán o valenciano de Gaspar.
42. *meriñaques, miriñaques*. Aunque la palabra designa una falda, aquí se entiende bultos de ropa.

CALAMOCHA

¿Cómo nuestro? ¿Tuyo y mío?

RITA

No, por cierto. Aquí dormiremos esta noche la señorita y yo; porque ayer, metidas las tres en ese de enfrente, ni cabíamos de pie, ni pudimos dormir un instante, ni respirar siquiera.

CALAMOCHA

Bien. Adiós. *(Recoge los trastos que puso sobre la mesa en ademán de irse.)*

RITA

Y ¿adónde?

CALAMOCHA

Yo me entiendo... Pero el novio, ¿trae consigo criados, amigos o deudos que le quiten la primera zambullida que le amenaza?

RITA

Un criado viene con él.

CALAMOCHA

¡Poca cosa!... Mira, dile en caridad que se disponga, porque está de peligro. Adiós.

RITA

¿Y volverás presto?

CALAMOCHA

Se supone. Estas cosas piden diligencias, y aunque apenas puedo moverme, es necesario que mi teniente deje la visita y venga a cuidar de su hacienda, disponer el entierro de ese hombre, y... ¿Conque ése es nuestro cuarto, eh?

RITA

Sí. De la señorita y mío.

CALAMOCHA

¡Bribona!

RITA

¡Botarate! ¡Adiós!

CALAMOCHA

Adiós, aborrecida.[43]

(Éntrase con los trastos en el cuarto de don Carlos.)

ESCENA IX

DOÑA FRANCISCA, RITA

RITA

¡Qué malo es!... Pero... ¡Válgame Dios, don Félix aquí!...[44]
Sí, la quiere, bien se conoce... *(Sale Calamocha del cuarto
de don Carlos, y se va por la puerta del foro.)* ¡Oh!, por
más que digan, los hay muy finos; y entonces, ¿qué ha de
hacer una?... Quererlos; no tiene remedio, quererlos... Pero
¿qué dirá la señorita cuando le vea, que está ciega por él?
¡Pobrecita! ¿Pues no sería una lástima que...? Ella es.
(Sale doña Francisca.)

DOÑA FRANCISCA

¡Ay, Rita!

RITA

¿Qué es eso? ¿Ha llorado usted?

DOÑA FRANCISCA

¿Pues no he de llorar? Si vieras mi madre... Empeñada
está en que he de querer mucho a ese hombre... Si ella
supiera lo que sabes tú, no me mandaría cosas imposibles...
Y que es tan bueno, y que es rico, y que me irá bien con
él... Se ha enfadado tanto, y me ha llamado picarona, ino-
bediente... ¡Pobre de mí! Porque no miento ni sé fingir, por
eso me llaman picarona.

RITA

Señorita, por Dios, no se aflija usted.

---

43. Expresión jocosa, para ocultar la simpatía que le profesa.
44. Paquita y su criada Rita creen que el nombre de su enamorado
es don Félix (véase Acto III).

DOÑA FRANCISCA

Ya, como tú no lo has oído... Y dice que don Diego se
queja de que yo no le digo nada... Harto le digo, y bien he
procurado hasta ahora mostrarme contenta delante de él,
que no lo estoy por cierto, y reírme y hablar niñerías...
Y todo por dar gusto a mi madre, que si no... Pero bien sabe
la Virgen que no me sale del corazón.

(Se va oscureciendo lentamente el teatro.) [45]

RITA

Vaya, vamos, que no hay motivo todavía para tanta an-
gustia... ¡Quién sabe!... ¿No se acuerda usted ya de aquel
día de asueto que tuvimos el año pasado en la casa de
campo del intendente?

DOÑA FRANCISCA

¡Ay! ¿Cómo puedo olvidarlo?... Pero ¿qué me vas a contar?

RITA

Quiero decir que aquel caballero que vimos allí con aquella cruz verde,[46] tan galán, tan fino...

DOÑA FRANCISCA

¡Qué rodeos! Don Félix. ¿Y qué?

RITA

Que nos fue acompañando hasta la ciudad...

DOÑA FRANCISCA

Y bien... Y luego volvió, y le vi, por mi desgracia, muchas
veces... mal aconsejada de ti.

RITA

¿Por qué, señora?... ¿A quién dimos escándalo? Hasta
ahora nadie lo ha sospechado en el convento. Él no entró

45. En tiempos de Moratín la escenografía presenta ya bastantes
adelantos. Los *candiles* que iluminaban el escenario (de ahí el nombre
de candilejas) podían graduar su iluminación. El autor utiliza muchas
veces la disminución de la misma y aun la total oscuridad para mar-
car la transición entre dos escenas.

46. La cruz verde es la de los Caballeros de Alcántara; alude, por
tanto, a don Carlos, el sobrino de don Diego, que, como sabemos,
había obtenido del rey el ingreso en dicha Orden.

jamás por las puertas, y cuando de noche hablaba con usted, mediaba entre los dos una distancia tan grande, que usted la maldijo no pocas veces... Pero esto no es del caso. Lo que voy a decir es que un amante como aquel no es posible que se olvide tan presto de su querida Paquita... Mire usted que todo cuanto hemos leído a hurtadillas en las novelas [47] no equivale a lo que hemos visto en él. ¿Se acuerda usted de aquellas tres palmadas que se oían entre once y doce de la noche, de aquella sonora punteada [48] con tanta delicadeza y expresión?

DOÑA FRANCISCA

¡Ay, Rita! Sí, de todo me acuerdo, y mientras viva conservaré la memoria... Pero está ausente... y entretenido acaso con nuevos amores.

RITA

Eso no lo puedo yo creer.

DOÑA FRANCISCA

Es hombre, al fin, y todos ellos...

RITA

¡Qué bobería! Desengáñese usted, señorita. Con los hombres y las mujeres sucede lo mismo que con los melones de Añover. Hay de todo; la dificultad está en saber escogerlos. El que se lleve chasco en la elección, quéjese de su mala suerte, pero no desacredite la mercancía... Hay hombres muy embusteros, muy picarones; pero no es creíble que lo sea el que ha dado pruebas tan repetidas de perseverancia y amor. Tres meses duró el terrero [49] y la conversación a oscuras, y en todo aquel tiempo, bien sabe usted que no vimos en él una acción descompuesta, ni oímos de su boca una palabra indecente ni atrevida.

DOÑA FRANCISCA

Es verdad. Por eso le quise tanto, por eso le tengo tan

47. No olvidemos que estamos en el período que se llama prerromántico. Las muchachas de la época leían, sin duda, las novelas sentimentales, del tipo de *Manon Lescaut, Pablo y Virginia* y otras muchas, a pesar de las prohibiciones de los padres y de los rígidos educadores.
48. *sonora punteada*, rasgueo de guitarra.
49. «Terrero», galanteo o cortejo que un novio hace a su dama.

fijo aquí..., aquí... *(señalando el pecho)*. ¿Qué habrá dicho
al ver la carta?... ¡Oh! Yo bien sé lo que habrá dicho...
¡Válgate Dios! ¡Es lástima! Cierto. ¡Pobre Paquita!... Y se
acabó... No habrá dicho más... Nada más.

RITA

No, señora; no ha dicho eso.

DOÑA FRANCISCA

¿Qué sabes tú?

RITA

Bien lo sé. Apenas haya leído la carta se habrá puesto
en camino, y vendrá volando a consolar a su amiga... Pero...
(Acercándose a la puerta del cuarto de doña Irene.)

DOÑA FRANCISCA

¿Adónde vas?

RITA

Quiero ver si...

DOÑA FRANCISCA

Está escribiendo.

RITA

Pues ya presto habrá de dejarlo, que empieza a anoche-
cer... Señorita, lo que la he dicho a usted es la verdad
pura. Don Félix está ya en Alcalá.

DOÑA FRANCISCA

¿Qué dices? No me engañes.

RITA

Aquél es su cuarto... Calamocha acaba de hablar conmigo.

DOÑA FRANCISCA

¿De veras?

RITA

Sí, señora... Y le ha ido a buscar para...

DOÑA FRANCISCA

¿Conque me quiere?... ¡Ay, Rita! Mira tú si hicimos bien
de avisarle... Pero ¿ves qué fineza?... ¿Si vendrá bueno?
¡Correr tantas leguas sólo por verme..., porque yo se lo

mando!... ¡Qué agradecida le debo estar!... ¡Oh!, yo le prometo que no se quejará de mí. Para siempre agradecimiento y amor.

RITA

Voy a traer luces. Procuraré detenerme por allá abajo hasta que vuelvan... Veré lo que dice y qué piensa hacer, porque hallándonos todos aquí, pudiera haber una de Satanás entre la madre, la hija, el novio y el amante; y si no ensayamos bien esta contradanza, nos hemos de perder en ella.

DOÑA FRANCISCA

Dices bien... Pero no; él tiene resolución y talento, y sabrá determinar lo más conveniente... Y ¿cómo has de avisarme?... Mira que así que llegue le quiero ver.

RITA

No hay que dar cuidado. Yo le traeré por acá, y en dándome aquella tosecilla seca..., ¿me entiende usted?

DOÑA FRANCISCA

Sí, bien.

RITA

Pues entonces no hay más que salir con cualquiera excusa. Yo me quedaré con la señora mayor; la hablaré de todos sus maridos y de sus concuñados, y del obispo que murió en el mar... Además, que si está allí don Diego...

DOÑA FRANCISCA

Bien, anda; y así que llegue...

RITA

Al instante.

DOÑA FRANCISCA

Que no se te olvide toser.

RITA

No hay miedo.

DOÑA FRANCISCA

¡Si vieras qué consolada estoy!

RITA

Sin que usted lo jure, lo creo.

DOÑA FRANCISCA

¿Te acuerdas, cuando me decía que era imposible apartarme de su memoria, que no habría peligros que le detuvieran, ni dificultades que no atropellara por mí?

RITA

Sí, bien me acuerdo.

DOÑA FRANCISCA

¡Ah!... Pues mira cómo me dijo la verdad.
(Doña Francisca se va al cuarto de doña Irene; Rita, por la puerta del foro.)

ACTO SEGUNDO

ESCENA I

(Teatro oscuro)

DOÑA FRANCISCA

Nadie parece aún... *(Doña Francisca se acerca a la puerta del foro y vuelve.)* ¡Qué impaciencia tengo!... Y dice mi madre que soy una simple, que sólo pienso en jugar y reír, y que no sé lo que es amor... Sí, diecisiete años y no cumplidos; pero ya sé lo que es querer bien, y la inquietud y las lágrimas que cuesta.[50]

ESCENA II

DOÑA IRENE, DOÑA FRANCISCA

DOÑA IRENE

Sola y a oscuras me habéis dejado allí.

DOÑA FRANCISCA

Como estaba usted acabando su carta, mamá, por no estorbarla me he venido aquí, que está mucho más fresco.

DOÑA IRENE

Pero aquella muchacha, ¿qué hace que no trae una luz? Para cualquiera cosa se está un año. Y yo que tengo un genio como una pólvora. *(Siéntase.)* Sea todo por Dios... ¿Y don Diego? ¿No ha venido?

---

50. Moratín insiste en la valoración del amor contrariado, o imposible, pagado con lágrimas, que tanto ha de interesar en el Romanticismo.

DOÑA FRANCISCA
Me parece que no.

DOÑA IRENE
Pues cuenta, niña, con lo que te he dicho ya. Y mira que no gusto de repetir una cosa dos veces. Este caballero está sentido, y con muchísima razón...

DOÑA FRANCISCA
Bien, sí, señora; ya lo sé. No me riña usted más.

DOÑA IRENE
No es esto reñirte, hija mía; esto es aconsejarte. Porque como tú no tienes conocimiento para considerar el bien que se nos ha entrado por las puertas... Y lo atrasada que me coge, que yo no sé lo que hubiera sido de tu pobre madre... Siempre cayendo y levantando... Médicos, botica... Que se dejaba pedir aquel caribe [51] de don Bruno (Dios le haya coronado de gloria) los veinte y los treinta reales por cada papelillo de píldoras de coloquíntida y asafétida...[52] Mira que un casamiento como el que vas a hacer, muy pocas le consiguen. Bien que a las oraciones de tus tías, que son unas bienaventuradas, debemos agradecer esta fortuna, y no a tus méritos ni a mi diligencia... ¿Qué dices?

DOÑA FRANCISCA
Yo, nada, mamá.

DOÑA IRENE
Pues nunca dices nada. ¡Válgame Dios, señor!... En hablándote de esto no te ocurre nada que decir.

RITA
(*Aparte*: ¡Otra!)

DOÑA IRENE
Bien que ahora no corre prisa... Es menester que luego me saques de ahí al tordo y colgarle por aquí, de modo que no se caiga y se me lastime... (*Vase Rita por la puerta del foro.*) ¡Qué noche tan mala me dio!... ¡Pues no se estuvo

---

51. Es decir, «aquel salvaje», «aquel despiadado médico».
52. Medicamentos entonces en boga.

toda la noche de Dios rezando el Gloria Patri y la oración del Santo Sudario!... Ello, por otra parte, edificaba, cierto; pero cuando se trata de dormir...

ESCENA IV

Doña Irene, Doña Francisca, Rita

Doña Irene

Pues mucho será que don Diego no haya tenido algún encuentro por ahí, y eso le detenga. Cierto que es un señor muy mirado, muy puntual... ¡Tan buen cristiano! ¡Tan atento! ¡Tan bien hablado! ¡Y con qué garbo y generosidad se porta!... Ya se ve, un sujeto de bienes y de posibles... ¡Y qué casa tiene! Como un ascua de oro la tiene... Es mucho aquello. ¡Qué ropa blanca! ¡Qué batería de cocina, y qué despensa, llena de cuanto Dios crió!... Pero tú no parece que atiendes a lo que estoy diciendo.

Doña Francisca

Sí, señora, bien lo oigo; pero no la quería interrumpir a usted.

Doña Irene

Allí estarás, hija mía, como el pez en el agua; pajaritas del aire que apetecieras las tendrías, porque como él te quiere tanto, y es un caballero tan de bien y tan temeroso de Dios... Pero mira, Francisquita, que me cansa de veras el que siempre que te hablo de esto hayas dado en la flor de no responderme palabra... ¡Pues no es cosa particular, señor!

Doña Francisca

Mamá, no se enfade usted.

Doña Irene

¡No es buen empeño de...! ¿Y te parece a ti que no sé yo muy bien de dónde viene todo eso?... ¿No ves que conozco las locuras que se te han metido en esa cabeza de chorlito?... ¡Perdóneme Dios!

Doña Francisca

Pero... Pues ¿qué sabe usted?

Doña Irene

¿Me quieres engañar a mí, eh? ¡Ay, hija! He vivido mucho, y tengo yo mucha trastienda y mucha penetración para que tú me engañes.

Doña Francisca

(*Aparte.*) ¡Perdida soy!

Doña Irene

Sin contar con su madre... Como si tal madre no tuviera... Yo te aseguro que aunque no hubiera sido con esta ocasión, de todos modos era ya necesario sacarte del convento. Aunque hubiera tenido que ir a pie y sola por ese camino, te hubiera sacado de allí... ¡Mire usted qué juicio de niña éste! Que porque ha vivido un poco de tiempo entre monjas, ya se la puso en la cabeza el ser ella monja también... Ni qué entiende ella de eso, ni qué... En todos los estados se sirve a Dios, Francisquita; pero el complacer a su madre, asistirla, acompañarla y ser el consuelo de sus trabajos, ésa es la primera obligación de una hija obediente... Y sépalo usted, si no lo sabe.

ESCENA III

Doña Irene, Doña Francisca

(*Sale Rita por la puerta del foro con luces y las pone encima de la mesa.*)

Doña Irene

Vaya, mujer, yo pensé que en toda la noche no venías

Rita

Señora, he tardado porque han tenido que ir a comprar las velas. ¡Como el tufo del velón la hace a usted tanto daño!...

DOÑA IRENE

Seguro que me hace muchísimo mal, con esta jaqueca que padezco... Los parches de alcanfor al cabo tuve que quitármelos; ¡si no me sirvieron de nada! Con las obleas me parece que me va mejor. Mira, deja una luz ahí, y llévate la otra a mi cuarto, y corre la cortina, no se me llene todo de mosquitos.

RITA

Muy bien. *(Toma una luz y hace que se va.)*

DOÑA FRANCISCA

(Aparte, a Rita.) ¿No ha venido?

RITA

Vendrá.

DOÑA IRENE

Oye, aquella carta que está sobre la mesa dásela al mozo de la posada para que la lleve al instante al correo... *(Vase Rita al cuarto de doña Irene.)* Y tú, niña, ¿qué has de cenar? Porque será menester recogernos presto para salir mañana de madrugada.

DOÑA FRANCISCA

Como las monjas me hicieron merendar...

DOÑA IRENE

Con todo eso... Siquiera unas sopas del puchero para el abrigo del estómago... *(Sale Rita con una carta en la mano, y hasta el fin de la escena hace que se va y vuelve, según lo indica el diálogo.)* Mira, has de calentar el caldo que apartamos al medio día, y haznos un par de tazas de sopas, y tráetelas luego que estén.

RITA

¿Y nada más?

DOÑA IRENE

No, nada más... ¡Ah!, y házmelas bien caldositas.

RITA

Sí, ya lo sé.

DOÑA IRENE

¡Rita!

RITA

(*Aparte*: ¡Otra!) ¿Qué manda usted?

DOÑA IRENE

Encarga mucho al mozo que lleve la carta al instante...
Pero no, señor; mejor es... No quiero que la lleve él, que
son unos borrachones, que no se les puede... Has de decir
a Simón que digo yo que me haga el gusto de echarla en el
correo. ¿Lo entiendes?

RITA

Sí, señora.

DOÑA IRENE

¡Ah!, mira.

DOÑA FRANCISCA

Es verdad, mamá... Pero yo nunca he pensado abando-
narla a usted.

DOÑA IRENE

Sí, que no sé yo..

DOÑA FRANCISCA

No, señora; créame usted. La Paquita nunca se apartará
de su madre, ni la dará disgustos.

DOÑA IRENE

Mira si es cierto lo que dices.

DOÑA FRANCISCA

Sí, señora; que yo no sé mentir.

DOÑA IRENE

Pues, hija, ya sabes lo que te he dicho. Ya ves lo que
pierdes, y la pesadumbre que me darás si no te portas en
un todo como corresponde... Cuidado con ello.

DOÑA FRANCISCA

(*Aparte.*) ¡Pobre de mí!

ESCENA V

DOÑA IRENE, DOÑA FRANCISCA, DON DIEGO
(Sale don Diego por la puerta del foro y deja sobre la mesa sombrero y bastón)

DOÑA IRENE

Pues ¿cómo tan tarde?

DON DIEGO

Apenas salí tropecé con el rector de Málaga, y el doctor Padilla, y hasta que me han hartado bien de chocolate y bollos no me han querido soltar... *(siéntase junto a doña Irene)*. Y a todo esto, ¿cómo va?

DOÑA IRENE

Muy bien.

DON DIEGO

¿Y doña Paquita?

DOÑA IRENE

Doña Paquita siempre acordándose de sus monjas. Ya la digo que es tiempo de mudar de bisiesto,[53] y pensar sólo en dar gusto a su madre y obedecerla.

DON DIEGO

¡Qué diantre! ¿Conque tanto se acuerda de...?

DOÑA IRENE

¿Qué se admira usted? Son niñas... No saben lo que quieren, ni lo que aborrecen... En una edad así, tan...

DON DIEGO

No; poco a poco; eso no. Precisamente en esa edad son las pasiones algo más enérgicas y decisivas que en la nuestra, y por cuanto la razón se halla todavía imperfecta y

53. «Cambiar de tema.»

débil, los ímpetus del corazón son mucho más violentos...
(*Asiendo de una mano a doña Francisca, la hace sentar
inmediata a él.*) Pero de veras, doña Paquita, ¿se volvería
usted al convento de buena gana?... La verdad.

DOÑA IRENE
Pero si ella no...

DON DIEGO
Déjela usted, señora; que ella responderá.

DOÑA FRANCISCA
Bien sabe usted lo que acabo de decirla... No permita
Dios que yo la dé que sentir.

DON DIEGO
Pero eso lo dice usted tan afligida y...

DOÑA IRENE
Si es natural, señor. ¿No ve usted que...?

DON DIEGO
Calle usted, por Dios, doña Irene, y no me diga usted a
mí lo que es natural. Lo que es natural es que la chica esté
llena de miedo, y no se atreva a decir una palabra que se
oponga a lo que su madre quiere que diga... Pero si esto
hubiese, por vida mía que estábamos lucidos.

DOÑA FRANCISCA
No, señor; lo que dice su merced, eso digo yo; lo mismo.
Porque en todo lo que me mande la obedeceré.

DON DIEGO
¡Mandar, hija mía!... En estas materias tan delicadas los
padres que tienen juicio no mandan. Insinúan, proponen,
aconsejan; eso sí, todo eso sí; ¡pero mandar!... ¿Y quién ha
de evitar después las resultas funestas de lo que manda-
ron?... Pues ¿cuántas veces vemos matrimonios infelices,
uniones monstruosas, verificadas solamente porque un padre
tonto se metió a mandar lo que no debiera?... ¡Eh! No,
señor; eso no va bien... Mire usted, doña Paquita, yo no soy
de aquellos hombres que se disimulan los defectos. Yo sé
que ni mi figura ni mi edad son para enamorar perdida-

mente a nadie; pero tampoco he creído imposible que una muchacha de juicio y bien criada llegase a quererme con aquel amor tranquilo y constante que tanto se parece a la amistad, y es el único que puede hacer los matrimonios felices. Para conseguirlo no he ido a buscar ninguna hija de familia de estas que viven en una decente libertad... Decente, que yo no culpo lo que no se opone al ejercicio de la virtud. Pero ¿cuál sería entre todas ellas la que no estuviese ya prevenida en favor de otro amante más apetecible que yo? Y en Madrid. ¡Figúrese usted en un Madrid!... Lleno de estas ideas me pareció que tal vez hallaría en usted todo cuanto deseaba.

DOÑA IRENE

Y puede usted creer, señor don Diego, que...

DON DIEGO

Voy a acabar, señora; déjeme usted acabar. Yo me hago cargo, querida Paquita, de lo que habrán influido en una niña tan bien inclinada como usted las santas costumbres que ha visto practicar en aquel inocente asilo de la devoción y la virtud; pero si a pesar de todo esto la imaginación acalorada, las circunstancias imprevistas, la hubiesen hecho elegir sujeto más digno, sepa usted que yo no quiero nada con violencia. Yo soy ingenuo; mi corazón y mi lengua no se contradicen jamás. Esto mismo la pido a usted, Paquita: sinceridad. El cariño que a usted la tengo no la debe hacer infeliz... Su madre de usted no es capaz de querer una injusticia, y sabe muy bien que a nadie se le hace dichoso por fuerza. Si usted no halla en mí prendas que la inclinen, si siente algún otro cuidadillo en su corazón, créame usted, la menor disimulación en esto nos daría a todos muchísimo que sentir.

DOÑA IRENE

¿Puedo hablar ya, señor?

DON DIEGO

Ella, ella debe hablar, y sin apuntador y sin intérprete.

DOÑA IRENE

Cuando yo se lo mande.

Don Diego
Pues ya puede usted mandárselo, porque a ella la toca responder... Con ella he de casarme, con usted no.

Doña Irene
Yo creo, señor don Diego, que ni con ella ni conmigo. ¿En qué concepto nos tiene usted?... Bien dice su padrino, y bien claro me lo escribió pocos días ha, cuando le di parte de este casamiento. Que aunque no la ha vuelto a ver desde que la tuvo en la pila, la quiere muchísimo; y a cuantos pasan por el Burgo de Osma les pregunta cómo está, y continuamente nos envía memorias con el ordinario.[54]

Don Diego
Y bien, señora, ¿qué escribió el padrino?... O, por mejor decir, ¿qué tiene que ver nada de eso con lo que estamos hablando?

Doña Irene
Sí, señor, que tiene que ver; sí, señor. Y aunque yo lo diga, le aseguro a usted que ni un padre de Atocha[55] hubiera puesto una carta mejor que la que él me envió sobre el matrimonio de la niña... Y no es ningún catedrático, ni bachiller, ni nada de eso, sino un cualquiera, como quien dice, un hombre de capa y espada,[56] con un empleíllo infeliz en el ramo del viento,[57] que apenas le da para comer... Pero es muy ladino, y sabe de todo, y tiene una labia y escribe que da gusto... Cuasi toda la carta venía en latín,[58] no le parezca a usted, y muy buenos consejos que me daba en ella... Que no es posible sino que nos está sucediendo.

Don Diego
Pero, señora, si no sucede nada, ni hay cosa que a usted la deba disgustar.

54. Recadero que va y viene de una población a otra.
55. *Un padre de Atocha*, un sacerdote del colegio de Atocha, en Madrid.
56. «un hombre de capa y espada», es decir, vulgar, sin títulos nobiliarios ni académicos.
57. Empleado en la recaudación de contribuciones.
58. Aquí Moratín se burla de la idea vulgar de que la cultura sólo podía expresarse en latín.

DOÑA IRENE

Pues ¿no quiere usted que me disguste oyéndole hablar de mi hija en términos que...? ¡Ella otros amores ni otros cuidados!... Pues si tal hubiera... ¡Válgame Dios!..., la mataba a golpes, mire usted... Respóndele, una vez que quiere que hables, y que yo no chiste. Cuéntale los novios que dejaste en Madrid cuando tenías doce años, y los que has adquirido en el convento al lado de aquella santa mujer. Díselo para que se tranquilice, y...

DON DIEGO

Yo, señora, estoy más tranquilo que usted.[59]

DOÑA IRENE

Respóndele.

DOÑA FRANCISCA

Yo no sé qué decir. Si ustedes se enfadan.

DON DIEGO

No, hija mía; esto es dar alguna expresión a lo que se dice; pero ¡enfadarnos! no, por cierto. Doña Irene sabe lo que yo la estimo.

DOÑA IRENE

Sí, señor, que lo sé, y estoy sumamente agradecida a los favores que usted nos hace... Por eso mismo...

DON DIEGO

No se hable de agradecimiento; cuanto yo puedo hacer, todo es poco... Quiero sólo que doña Paquita esté contenta.

DOÑA IRENE

¿Pues no ha de estarlo? Responde.

DOÑA FRANCISCA

Sí, señor, que lo estoy.

DON DIEGO

Y que la mudanza de estado que se la previene no la cueste el menor sentimiento.

59. El tratamiento normal de la época es *usted* (palabra derivada de *vuesamerced*). Paquita llama así a su madre. Incluso, entre los enamorados se usa este tratamiento.

Doña Irene

No, señor, todo al contrario... Boda más a gusto de todos no se pudiera imaginar.

Don Diego

En esa inteligencia puedo asegurarla que no tendrá motivos de arrepentirse después. En nuestra compañía vivirá querida y adorada, y espero que a fuerza de beneficios he de merecer su estimación y su amistad.

Doña Irene

Gracias, señor don Diego... ¡A una huérfana, pobre, desvalida como yo!...

Don Diego

Pero de prendas tan estimables que la hacen a usted digna todavía de mayor fortuna.

Doña Irene

Ven aquí, ven... Ven aquí, Paquita.

Doña Francisca

¡Mamá!

(Levántase, abraza a su madre y se acarician mutuamente.)

Doña Irene

¿Ves lo que te quiero?

Doña Francisca

Sí, señora.

Doña Irene

¿Y cuánto procuro tu bien, que no tengo otro pío sino el de verte colocada antes que yo falte?

Doña Francisca

Bien lo conozco.

Doña Irene

¡Hija de mi vida! ¿Has de ser buena?

Doña Francisca

Sí, señora.

Doña Irene

¡Ay, que no sabes tú lo que te quiere tu madre!

DOÑA FRANCISCA

Pues qué, ¿no la quiero yo a usted?

DON DIEGO

Vamos, vamos de aquí. (*Levántase don Diego y después doña Irene.*) No venga alguno y nos halle a los tres llorando como tres chiquillos.

DOÑA IRENE

Sí, dice usted bien.
(*Vanse los dos al cuarto de doña Irene. Doña Francisca va detrás, y Rita, que sale por la puerta del foro, la hace detenerse.*)

ESCENA VI

DOÑA FRANCISCA, RITA

RITA

Señorita... ¡Eh!, chit..., señorita...

DOÑA FRANCISCA

¿Qué quieres?

RITA

Ya ha venido.

DOÑA FRANCISCA

¿Cómo?

RITA

Ahora mismo acaba de llegar. Le he dado un abrazo con licencia de usted, y ya sube por la escalera.

DOÑA FRANCISCA

¡Ay, Dios! ¿Y qué debo hacer?

RITA

¡Donosa pregunta!... Vaya, lo que importa es no gastar el tiempo en melindres de amor... Al asunto... y juicio... Y mire usted que en el paraje en que estamos la conversación no puede ser muy larga... Ahí está.

DOÑA FRANCISCA

Sí... Él es.

RITA

Voy a cuidar de aquella gente... Valor, señorita, y resolución. *(Rita se entra en el cuarto de doña Irene.)*

DOÑA FRANCISCA

No, no; que yo también... Pero no lo merece.

ESCENA VII

DOÑA FRANCISCA, DON CARLOS
(Sale don Carlos por la puerta del foro.)

DON CARLOS

¡Paquita!... ¡Vida mía!... Ya estoy aquí... ¿Cómo va, hermosa; cómo va?

DOÑA FRANCISCA

Bien venido.

DON CARLOS

¿Cómo tan triste?... ¿No merece mi llegada más alegría?

DOÑA FRANCISCA

Es verdad; pero acaban de sucederme cosas que me tienen fuera de mí... Sabe usted... Sí, bien lo sabe usted... Después de escrita aquella carta, fueron por mí... Mañana a Madrid... Ahí está mi madre.

DON CARLOS

¿En dónde?

DOÑA FRANCISCA

Ahí en ese cuarto. *(Señalando al cuarto de doña Irene.)*

DON CARLOS

¿Sola?

DOÑA FRANCISCA

No, señor.

Don Carlos

Estará en compañía del prometido esposo. *(Se acerca al cuarto de doña Irene, se detiene y vuelve.)* Mejor... Pero ¿no hay nadie más con ella?

Doña Francisca

Nadie más, solos están... ¿Qué piensa usted hacer?

Don Carlos

Si me dejase llevar de mi pasión y de lo que esos ojos me inspiran, una temeridad... Pero tiempo hay... Él también será hombre de honor, y no es justo insultarle porque quiere bien a una mujer tan digna de ser querida... Yo no conozco a su madre de usted ni... Vamos, ahora nada se puede hacer... Su decoro de usted merece la primera atención.

Doña Francisca

Es mucho el empeño que tiene en que me case con él.

Don Carlos

No importa.

Doña Francisca

Quiere que esta boda se celebre así que lleguemos a Madrid.

Don Carlos

¿Cuál?... No. Eso no.

Doña Francisca

Los dos están de acuerdo, y dicen...

Don Carlos

Bien... Dirán... Pero no puede ser.

Doña Francisca

Mi madre no me habla continuamente de otra materia. Me amenaza, me ha llenado de temor... Él insta por su parte, me ofrece tantas cosas, me...

Don Carlos

Y usted, ¿qué esperanzas le da?... ¿Ha prometido quererle mucho?

Doña Francisca
¡Ingrato!... ¿Pues no sabe usted que...? ¡Ingrato!

Don Carlos
Sí; no lo ignoro, Paquita... Yo he sido el primer amor.

Doña Francisca
Y el último.

Don Carlos
Y antes perderé la vida que renunciar al lugar que tengo en ese corazón... Todo él es mío... ¿Digo bien? *(Asiéndola de las manos.)*

Doña Francisca
¿Pues de quién ha de ser?

Don Carlos
¡Hermosa! ¡Qué dulce esperanza me anima!... Una sola palabra de esa boca me asegura... Para todo me da valor... En fin, ya estoy aquí... ¿Usted me llama para que la defienda, la libre, la cumpla una obligación mil y mil veces prometida? Pues a eso mismo vengo yo... Si ustedes se van a Madrid mañana, yo voy también. Su madre de usted sabrá quién soy... Allí puedo contar con el favor de un anciano respetable y virtuoso,[60] a quien más que tío debo llamar amigo y padre. No tiene otro deudo más inmediato ni más querido que yo; es hombre muy rico, y si los dones de la fortuna tuviesen para usted algún atractivo, esta circunstancia añadiría felicidades a nuestra unión.

Doña Francisca
¿Y qué vale para mí toda la riqueza del mundo?

Don Carlos
Ya lo sé. La ambición no puede agitar a un alma tan inocente.

Doña Francisca
Querer y ser querida... Ni apetezco más ni conozco mayor fortuna.

---

60. Don Carlos alude aquí, naturalmente, a don Diego, a quien nunca pudo imaginar convertido en su rival.

Don Carlos
Ni hay otra... Pero usted debe serenarse, y esperar que la suerte mude nuestra aflicción presente en durables dichas.

Doña Francisca
¿Y qué se ha de hacer para que a mi pobre madre no le cueste una pesadumbre?... ¡Me quiere tanto!... Si acabo de decirla que no la disgustaré, ni me apartaré de su lado jamás; que siempre seré obediente y buena... ¡Y me abrazaba con tanta ternura! Quedó tan consolada con lo poco que acerté a decirla... Yo no sé, no sé qué camino ha de hallar usted para salir de estos ahogos.

Don Carlos
Yo le buscaré... ¿No tiene usted confianza en mí?

Doña Francisca
¿Pues no he de tenerla? ¿Piensa usted que estuviera yo viva si esa esperanza no me animase? Sola y desconocida de todo el mundo, ¿qué había yo de hacer? Si usted no hubiese venido, mis melancolías me hubieran muerto, sin tener a quién volver los ojos, ni poder comunicar a nadie la causa de ellas... Pero usted ha sabido proceder como caballero y amante, y acaba de darme con su venida la prueba mayor de lo mucho que me quiere. *(Se enternece y llora.)*

Don Carlos
¡Qué llanto!... ¡Cómo persuade!... Sí, Paquita, yo solo basto para defenderla a usted de cuantos quieran oprimirla. A un amante favorecido, ¿quién puede oponérsele? Nada hay que temer.

Doña Francisca
¿Es posible?

Don Carlos
Nada... Amor ha unido nuestras almas en estrechos nudos, y sólo la muerte bastará a dividirlas.

ESCENA VIII

Doña Francisca, Don Carlos, Rita

Rita

Señorita, adentro. La mamá pregunta por usted. Voy a recoger la cena, y se van a recoger al instante... Y usted, señor galán, ya puede también disponer de su persona.

Don Carlos

Sí, que no conviene anticipar sospechas... Nada tengo que añadir.

Doña Francisca

Ni yo.

Don Carlos

Hasta mañana. Con la luz del día veremos a este dichoso competidor.

Rita

Un caballero muy honrado, muy rico, muy prudente; con su chupa[61] larga, su camisola limpia y sus sesenta años debajo del peluquín.

(Se va por la puerta del foro.)

Doña Francisca

Hasta mañana.

Don Carlos

Adiós, Paquita.

Doña Francisca

Acuéstese usted y descanse.

Don Carlos

¿Descansar con celos?

Doña Francisca

¿De quién?

---

61. *chupa*, blusa o camisola bordada, que se llevaba debajo de la casaca.

Don Carlos
Buenas noches... Duerma usted bien, Paquita.

Doña Francisca
¿Dormir con amor?

Don Carlos
Adiós, vida mía.

Doña Francisca
Adiós.
(Éntrase al cuarto de doña Irene.)

ESCENA IX

Don Carlos, Calamocha, Rita

Don Carlos
¡Quitármela! *(Paseándose inquieto.)* No... sea quien fuere, no me la quitará. Ni su madre ha de ser tan imprudente que se obstine en verificar ese matrimonio repugnándolo su hija..., mediando yo... ¡Sesenta años!... Precisamente será muy rico... ¡El dinero! Maldito él sea, que tantos desórdenes origina.

Calamocha
Pues, señor *(sale por la puerta del foro)*, tenemos un medio cabrito asado, y... a lo menos parece cabrito. Tenemos una magnífica ensalada de berros, sin anapelos ni otra materia extraña, bien lavada, escurrida y condimentada por estas manos pecadoras, que no hay más que pedir. Pan de Meco,[62] vino de la Tercia...[63] Conque si hemos de cenar y dormir, me parece que sería bueno...

Don Carlos
Vamos... ¿Y adónde ha de ser?

62. Pueblo próximo a Madrid.
63. Población de la región leonesa.

CALAMOCHA

Abajo. Allí he mandado disponer una angosta y fementida mesa, que parece un banco de herrador.

RITA

¿Quién quiere sopas?
(Sale por la puerta del foro con unos platos, taza, cuchara y servilleta.)

DON CARLOS

Buen provecho.

CALAMOCHA

Si hay alguna real moza que guste de cenar cabrito, levante el dedo.

RITA

La real moza se ha comido ya media cazuela de albondiguillas... Pero lo agradece, señor militar.
(Entrase al cuarto de doña Irene.)

CALAMOCHA

Agradecida te quiero yo, niña de mis ojos.

DON CARLOS

Conque ¿vamos?

CALAMOCHA

¡Ay, ay, ay!... *(Calamocha se encamina a la puerta del foro, y vuelve; hablan él y don Carlos, con reserva, hasta que Calamocha se adelanta a saludar a Simón.)* ¡Eh! Chit, digo...

DON CARLOS

¿Qué?

CALAMOCHA

¿No ve usted lo que viene por allí?

DON CARLOS

¿Es Simón?

CALAMOCHA

El mismo... Pero ¿quién diablos le...?

DON CARLOS

¿Y qué haremos?

CALAMOCHA

¿Qué sé yo? Sonsacarle, mentir y... ¿Me da usted licencia para que...?

DON CARLOS

Sí; miente lo que quieras. ¿A qué habrá venido este hombre?

ESCENA X

DON CARLOS, CALAMOCHA, SIMÓN
(Simón sale por la puerta del foro.)

CALAMOCHA

Simón, ¿tú por aquí?

SIMÓN

Adiós, Calamocha. ¿Cómo va?

CALAMOCHA

Lindamente.

SIMÓN

¡Cuánto me alegro de...!

DON CARLOS

¡Hombre! ¿Tú en Alcalá? ¿Pues qué novedad es ésta?

SIMÓN

¡Oh, que estaba usted ahí, señorito! ¡Voto a sanes!

DON CARLOS

¿Y mi tío?

SIMÓN

Tan bueno.

CALAMOCHA

¿Pero se ha quedado en Madrid, o...?

SIMÓN

¿Quién me había de decir a mí...? ¡Cosa como ella! Tan ajeno estaba yo ahora de... Y usted, de cada vez más guapo... ¿Conque usted irá a ver al tío, eh?

CALAMOCHA

Tú habrás venido con algún encargo del amo.

SIMÓN

¡Y qué calor traje, y qué polvo por ese camino! ¡Ya, ya!

CALAMOCHA

Alguna cobranza tal vez, ¿eh?

DON CARLOS

Puede ser. Como tiene mi tío ese poco de hacienda en Ajalvir. ¿No has venido a eso?

SIMÓN

¡Y qué buena maula le ha salido el tal administrador! Labriego más marrullero [64] y más bellaco [65] no le hay en toda la campiña... ¿Conque usted viene ahora de Zaragoza?

DON CARLOS

Pues... Figúrate tú.

SIMÓN

¿O va usted allá?

DON CARLOS

¿Adónde?

SIMÓN

A Zaragoza. ¿No está allí el regimiento?

CALAMOCHA

Pero, hombre, si salimos el verano pasado de Madrid, ¿no habíamos de haber andado más de cuatro leguas?

SIMÓN

¿Qué sé yo? Algunos van por la posta, y tardan más de cuatro meses en llegar...[66] Debe de ser un camino muy malo.

CALAMOCHA

(*Aparte, separándose de Simón.*) ¡Maldito seas tú y tu camino, y la bribona que te dio papilla!

64. *marrullero*, tramposo, enredador.
65. *bellaco*, falso, embustero.
66. Alude, naturalmente, al fingido retraso de don Carlos.

Don Carlos

Pero aún no me has dicho si mi tío está en Madrid o en Alcalá, ni a qué has venido, ni...

Simón

Bien, a eso voy... Sí, señor, voy a decir a usted... Conque... Pues el amo me dijo...

ESCENA XI

Don Diego, Don Carlos, Simón, Calamocha

Don Diego

(Desde adentro.) No, no es menester; si hay luz aquí. Buenas noches, Rita.
(Don Carlos se turba y se aparta a un extremo del teatro.)

Don Carlos

¡Mi tío!

Don Diego

¡Simón!
(Sale don Diego del cuarto de doña Irene, encaminándose al suyo; repara en don Carlos y se acerca a él. Simón le alumbra y vuelve a dejar la luz sobre la mesa.)

Simón

Aquí estoy, señor.

Don Carlos

(Aparte.) ¡Todo se ha perdido!

Don Diego

Vamos... Pero... ¿quién es?

Simón

Un amigo de usted, señor.

Don Carlos

(Aparte.) Yo estoy muerto.

DON DIEGO

¿Cómo un amigo?... ¿Qué? Acerca esa luz.

DON CARLOS

¡Tío!

(En ademán de besar la mano a don Diego, que le aparta de sí con enojo.)

DON DIEGO

Quítate de ahí.

DON CARLOS

¡Señor!

DON DIEGO

Quítate... No sé cómo no le... ¿Qué haces aquí?

DON CARLOS

Si usted se altera y...

DON DIEGO

¿Qué haces aquí?

DON CARLOS

Mi desgracia me ha traído.

DON DIEGO

¡Siempre dándome que sentir, siempre! Pero... *(Acercándose a don Carlos.)* ¿Qué dices? ¿De veras ha ocurrido alguna desgracia? Vamos... ¿Qué te sucede?... ¿Por qué estás aquí?

CALAMOCHA

Porque le tiene a usted ley, y le quiere bien, y...

DON DIEGO

A ti no te pregunto nada... ¿Por qué has venido de Zaragoza sin que yo lo sepa?... ¿Por qué te asusta el verme?... Algo has hecho: sí, alguna locura has hecho que le habrá de costar la vida a tu pobre tío.

DON CARLOS

¡No, señor!, que nunca olvidaré las máximas de honor y prudencia que usted me ha inspirado tantas veces.

DON DIEGO

Pues ¿a qué viniste? ¿Es desafío? ¿Son deudas? ¿Es algún disgusto con tus jefes?... Sácame de esta inquietud, Carlos... Hijo mío, sácame de este afán.

CALAMOCHA

Si todo ello no es más que...

DON DIEGO

Ya he dicho que calles... Ven acá. *(Tomándole de la mano se aparta con él a un extremo del teatro, y le habla en voz baja.)* Dime qué ha sido.

DON CARLOS

Una ligereza, una falta de sumisión a usted... Venir a Madrid sin pedirle licencia primero... Bien arrepentido estoy, considerando la pesadumbre que le he dado al verme.

DON DIEGO

¿Y qué otra cosa hay?

DON CARLOS

Nada más, señor.

DON DIEGO

Pues ¿qué desgracia era aquella de que me hablaste?

DON CARLOS

Ninguna. La de hallarle a usted en este paraje... y haberle disgustado tanto, cuando yo esperaba sorprenderle en Madrid, estar en su compañía algunas semanas y volverme contento de haberle visto.

DON DIEGO

¿No hay más?

DON CARLOS

No, señor.

DON DIEGO

Míralo bien.

DON CARLOS

No, señor... A eso venía. No hay nada más.

Don Diego

Pero no me digas tú a mí... Si es imposible que estas escapadas se... No, señor... ¿Ni quién ha de permitir que un oficial se vaya cuando se le antoje, y abandone de ese modo sus banderas?... Pues si tales ejemplos se repitieran mucho, adiós disciplina militar... Vamos... Eso no puede ser.

Don Carlos

Considere usted, tío, que estamos en tiempo de paz; que en Zaragoza no es necesario un servicio tan exacto como en otras plazas, en que no se permite descanso a la guarnición... Y, en fin, puede usted creer que este viaje supone la aprobación y la licencia de mis superiores, que yo también miro por mi estimación, y que cuando me he venido, estoy seguro de que no hago falta.

Don Diego

Un oficial siempre hace falta a sus soldados. El rey le tiene allí para que los instruya, los proteja y les dé ejemplo de subordinación, de valor, de virtud.

Don Carlos

Bien está; pero ya he dicho los motivos...

Don Diego

Todos esos motivos no valen nada... ¡Porque le dio la gana de ver al tío!... Lo que quiere su tío de usted no es verle cada ocho días, sino saber que es hombre de juicio y que cumple con sus obligaciones. Eso es lo que quiere... Pero *(alza la voz y se pasea con inquietud)* yo tomaré mis medidas para que estas locuras no se repitan otra vez... Lo que usted ha de hacer ahora es marcharse inmediatamente.

Don Carlos

Señor, si...

Don Diego

No hay remedio... Y ha de ser al instante. Usted no ha de dormir aquí.

Calamocha

Es que los caballos no están ahora para correr... ni pueden moverse.

DON DIEGO

Pues con ellos *(a Calamocha)* y con las maletas al mesón de afuera. Usted *(a don Carlos)* no ha de dormir aquí... Vamos *(a Calamocha)*, tú, buena pieza, menéate. Abajo con todo. Pagar el gasto que se haya hecho, sacar los caballos y marchar... Ayúdale tú... *(A Simón.)* ¿Qué dinero tienes ahí?

SIMÓN

Tendré unas cuatro o seis onzas.

(Saca de un bolsillo algunas monedas y se las da a don Diego.)

DON DIEGO

Dámelas acá. Vamos, ¿qué haces? *(A Calamocha.)* ¿No he dicho que ha de ser al instante? Volando. Y tú *(a Simón)* ve con él, ayúdale, y no te me apartes de allí hasta que se haya ido.

(Los dos criados entran en el cuarto de don Carlos.)

ESCENA XII

DON DIEGO, DON CARLOS

DON DIEGO

Tome usted. *(Le da el dinero.)* Con eso hay bastante para el camino. Vamos, que cuando yo lo dispongo así, bien sé lo que me hago... ¿No conoces que es todo por tu bien, y que ha sido un desatino lo que acabas de hacer?... Y no hay que afligirse por eso, ni creas que es falta de cariño...[67] Ya sabes lo que te he querido siempre; y en obrando tú según corresponde, seré tu amigo como lo he sido hasta aquí.

DON CARLOS

Ya lo sé.

DON DIEGO

Pues bien; ahora obedece lo que te mando.

---

67. Obsérvese que **Moratín** señala siempre la ternura de su personaje.

Don Carlos
Lo haré sin falta.

Don Diego
Al mesón de afuera. (*A los criados, que salen con los trastos del cuarto de don Carlos, y se van por la puerta del foro.*) Allí puedes dormir, mientras los caballos comen y descansan... Y no me vuelvas aquí por ningún pretexto ni entres en la ciudad... ¡Cuidado! Y a eso de las tres o cuatro, marchar. Mira que he de saber a la hora que sales. ¿Lo entiendes?

Don Carlos
Sí, señor.

Don Diego
Mira lo que has de hacer.

Don Carlos
Sí, señor; haré lo que usted manda.

Don Diego
Muy bien. Adiós... Todo te lo perdono... Vete con Dios... Y yo sabré también cuándo llegas a Zaragoza; no te parezca que estoy ignorante de lo que hiciste la vez pasada.

Don Carlos
¿Pues qué hice yo?

Don Diego
Si te digo que lo sé, y que te lo perdono, ¿qué más quieres? No es tiempo ahora de tratar de eso. Vete.

Don Carlos
Quede usted con Dios.
   (*Hace que se va, y vuelve.*)

Don Diego
¿Sin besar la mano a su tío, eh?

Don Carlos
No me atreví.
   (*Besa la mano de don Diego y se abrazan.*)

DON DIEGO

Y dame un abrazo, por si no nos volvemos a ver.

DON CARLOS

¿Qué dice usted? ¡No lo permita Dios!

DON DIEGO

¡Quién sabe, hijo mío! ¿Tienes algunas deudas? ¿Te falta algo?

DON CARLOS

No, señor; ahora, no.

DON DIEGO

Mucho es, porque tú siempre tiras por largo... Como cuentas con la bolsa del tío... Pues bien; yo escribiré al señor Aznar para que te dé cien doblones de orden mía. Y mira cómo los gastas. ¿Juegas?

DON CARLOS

No, señor; en mi vida.

DON DIEGO

Cuidado con eso... Conque, buen viaje. Y no te acalores: jornadas regulares y nada más... ¿Vas contento?

DON CARLOS

No, señor. Porque usted me quiere mucho, me llena de beneficios, y yo le pago mal.

DON DIEGO

No se hable ya de lo pasado... Adiós.

DON CARLOS

¿Queda usted enojado conmigo?

DON DIEGO

No, por cierto... Me disgusté bastante, pero ya se acabó... No me des que sentir. (*Poniéndole ambas manos sobre los hombros.*) Portarse como hombre de bien.

DON CARLOS

No lo dude usted.

DON DIEGO

Como oficial de honor.

DON CARLOS

Así lo prometo.

DON DIEGO

Adiós, Carlos. *(Abrazándose.)*

DON CARLOS

(Aparte, al irse por la puerta del foro.) ¡Y la dejo...! ¡Y la pierdo para siempre!

ESCENA XIII

DON DIEGO

Demasiado bien se ha compuesto... Luego lo sabrá enhorabuena... Pero no es lo mismo escribírselo que... Después de hecho, no importa nada... ¡Pero siempre aquel respeto al tío!... Como una malva [68].

(Se enjuga las lágrimas, toma una luz y se va a su cuarto. El teatro queda solo y oscuro por un breve espacio.)

ESCENA XIV

DOÑA FRANCISCA, RITA

(Salen del cuarto de doña Irene. Rita sacará una luz y la pone encima de la mesa.)

RITA

Mucho silencio hay por aquí.

DOÑA FRANCISCA

Se habrán recogido ya... Estarán rendidos.

68. Suave, humilde.

RITA

Precisamente.

DOÑA FRANCISCA

¡Un camino tan largo!

RITA

¡A lo que obliga el amor, señorita!

DOÑA FRANCISCA

Sí; bien puedes decirlo: amor... Y yo ¿qué no hiciera por él?

RITA

Y deje usted, que no ha de ser éste el último milagro. Cuando lleguemos a Madrid, entonces será ella... El pobre don Diego, ¡qué chasco se va a llevar! Y por otra parte, vea usted qué señor tan bueno, que cierto da lástima...

DOÑA FRANCISCA

Pues en eso consiste todo. Si él fuese un hombre despreciable, ni mi madre hubiera admitido su pretensión, ni yo tendría que disimular mi repugnancia... Pero ya es otro tiempo, Rita. Don Félix ha venido, y ya no temo a nadie. Estando mi fortuna en su mano, me considero la más dichosa de las mujeres.

RITA

¡Ay! Ahora que me acuerdo... Pues poquito me lo encargó... Ya se ve, si con estos amores tengo yo también la cabeza... Voy por él. *(Encaminándose al cuarto de doña Irene.)*

DOÑA FRANCISCA

¿A qué vas?

RITA

El tordo, que ya se me olvidaba sacarle de allí.

DOÑA FRANCISCA

Sí, tráele, no empiece a rezar como anoche... Allí quedó junto a la ventana... Y ve con cuidado, no despierte mamá.

RITA

Sí; mire usted el estrépito de caballerías que anda por

allá abajo... Hasta que lleguemos a nuestra calle del Lobo,[69] número siete, cuarto segundo, no hay que pensar en dormir... Y ese maldito portón, que rechina que...

DOÑA FRANCISCA
Te puedes llevar la luz.

RITA
No es menester, que ya sé dónde está. *(Vase al cuarto de doña Irene.)*

ESCENA XV

DOÑA FRANCISCA, SIMÓN
(Sale por la puerta del foro Simón.)

DOÑA FRANCISCA
Yo pensé que estaban ustedes acostados.

SIMÓN
El amo ya habrá hecho esa diligencia; pero yo todavía no sé en dónde he de tender el rancho... Y buen sueño que tengo.

DOÑA FRANCISCA
¿Qué gente nueva ha llegado ahora?

SIMÓN
Nadie. Son unos que estaban ahí, y se han ido.

DOÑA FRANCISCA
¿Los arrieros?

SIMÓN
No, señora. Un oficial y un criado suyo, que parece que se van a Zaragoza.

DOÑA FRANCISCA
¿Quiénes dice usted que son?

69. Calle existente en Madrid.

SIMÓN

Un teniente coronel y su asistente.

DOÑA FRANCISCA

¿Y estaban aquí?

SIMÓN

Sí, señora; ahí en ese cuarto.

DOÑA FRANCISCA

No los he visto.

SIMÓN

Parece que llegaron esta tarde y... A la cuenta habrán despachado ya la comisión que traían... Conque se han ido... Buenas noches, señorita. (*Vase al cuarto de don Diego.*)

ESCENA XVI

DOÑA FRANCISCA, RITA

DOÑA FRANCISCA

¡Dios mío de mi alma! ¿Qué es esto? No puedo sostenerme. ¡Desdichada! (*Siéntase en una silla junto a la mesa.*)

RITA

Señorita, yo vengo muerta. (*Saca la jaula del tordo y la deja encima de la mesa; abre la puerta del cuarto de don Carlos, y vuelve.*)

DOÑA FRANCISCA

¡Ay, que es cierto! ¿Tú lo sabes también?

RITA

Deje usted, que todavía no creo lo que he visto... Aquí no hay nadie..., ni maletas, ni ropa, ni... Pero ¿cómo podía engañarme? Si yo misma los he visto salir.

DOÑA FRANCISCA

¿Y eran ellos?

RITA

Sí, señora. Los dos.

DOÑA FRANCISCA

Pero ¿se han ido fuera de la ciudad?

RITA

Si no los he perdido de vista hasta que salieron por la
Puerta de los Mártires...[70] Como está un paso de aquí.

DOÑA FRANCISCA

¿Y es ése el camino de Aragón?

RITA

Ése es.

DOÑA FRANCISCA

¡Indigno! ¡Hombre indigno!

RITA

¡Señorita!

DOÑA FRANCISCA

¿En qué te ha ofendido esta infeliz?

RITA

Yo estoy temblando toda... Pero... Si es incomprensible...
Si no alcanzo a descubrir qué motivos ha podido haber para
esta novedad.

DOÑA FRANCISCA

¿Pues no le quise más que a mi vida?... ¿No me ha visto
loca de amor?

RITA

No sé qué decir al considerar una acción tan infame.

DOÑA FRANCISCA

¿Qué has de decir? Que no me ha querido nunca, ni es
hombre de bien... ¿Y vino para esto? ¡Para engañarme, para
abandonarme así! *(Levántase y Rita la sostiene.)*

RITA

Pensar que su venida fue con otro designio, no me parece

70. Puerta en el camino de Alcalá a Madrid.

natural... Celos. ¿Por qué ha de tener celos?... Y aun eso mismo debiera enamorarle más... Él no es cobarde, y no hay que decir que habrá tenido miedo de su competidor.

DOÑA FRANCISCA

Te cansas en vano. Di que es un pérfido, di que es un monstruo de crueldad, y todo lo has dicho.

RITA

Vamos de aquí, que puede venir alguien y...

DOÑA FRANCISCA

Sí, vámonos... Vamos a llorar... ¡Y en qué situación me deja!... Pero ¿ves qué malvado?

RITA

Sí, señora; ya lo conozco.

DOÑA FRANCISCA

¡Qué bien supo fingir! ¿Y con quién? Conmigo... ¿Pues yo merecí ser engañada tan alevosamente?... ¿Mereció mi cariño este galardón?... ¡Dios de mi vida! ¿Cuál es mi delito, cuál es? (*Rita coge la luz y se van entrambas al cuarto de doña Francisca.*)

ACTO TERCERO

ESCENA I

(Teatro oscuro. Sobre la mesa habrá un candelero con vela apagada y la jaula del tordo. Simón duerme tendido en el banco.)

DON DIEGO, SIMÓN

DON DIEGO
(Sale de su cuarto poniéndose la bata.)
Aquí, a lo menos, ya que no duerma no me derretiré... Vaya, si alcoba como ella no se... ¡Cómo ronca éste!... Guardémosle el sueño hasta que venga el día, que ya poco puede tardar... *(Simón despierta y se levanta.)* ¿Qué es eso? Mira no te caigas, hombre.

SIMÓN
Qué, ¿estaba usted ahí, señor?

DON DIEGO
Sí, aquí me he salido, porque allí no se puede parar.

SIMÓN
Pues yo, a Dios gracias, aunque la cama es algo dura, he dormido como un emperador.

DON DIEGO
¡Mala comparación! Di que has dormido como un pobre hombre, que no tiene ni dinero, ni ambición, ni pesadumbres, ni remordimientos.

SIMÓN
En efecto, dice usted bien... ¿Y qué hora será ya?

Don Diego

Poco ha que sonó el reloj de San Justo, y si no conté mal, dio las tres.

Simón

¡Oh!, pues ya nuestros caballeros irán por ese camino adelante echando chispas.

Don Diego

Sí, ya es regular que hayan salido. Me lo prometió, y espero que lo hará.

Simón

¡Pero si usted viera qué apesadumbrado le dejé! ¡Qué triste!

Don Diego

Ha sido preciso.

Simón

Ya lo conozco.

Don Diego

¿No ves qué venida tan intempestiva?

Simón

Es verdad. Sin permiso de usted, sin avisarle, sin haber un motivo urgente... Vamos, hizo muy mal. Bien que por otra parte él tiene prendas suficientes para que se le perdone esta ligereza. Digo... Me parece mal que el castigo no pasará adelante, ¿eh?

Don Diego

¡No, qué! No, señor. Una cosa es que le haya hecho volver... Ya ves en qué circunstancias estábamos... Te aseguro que cuando se fue me quedó un ansia en el corazón. *(Suenan a lo lejos tres palmadas y poco después se oye que puntean un instrumento.)* ¿Qué ha sonado?

Simón

No sé. Gente que pasa por la calle. Serán labradores.

Don Diego

Calla.

Simón

Vaya; música tenemos, según parece.

DON DIEGO

Sí, como lo hagan bien.

SIMÓN

¿Y quién será el amante infeliz que se viene a puntear a estas horas en ese callejón tan puerco? Apostaré que son amores con la moza de la posada, que parece un mico.

DON DIEGO

Puede ser.

SIMÓN

Ya empiezan, oigamos. *(Tocan una sonata desde adentro.)* Pues dígole a usted que toca muy lindamente el pícaro del barberillo.

DON DIEGO

No; no hay barbero que sepa hacer eso, por muy bien que afeite.

SIMÓN

¿Quiere usted que nos asomemos un poco, a ver?...

DON DIEGO

No, dejarlos. ¡Pobre gente! ¡Quién sabe la importancia que darán ellos a la tal música! No gusto yo de incomodar a nadie.

(Salen de su cuarto doña Francisca y Rita, encaminándose a la ventana. Don Diego y Simón se retiran a un lado y observan.)

SIMÓN

¡Señor! ¡Eh!... Presto, aquí a un ladito.

DON DIEGO

¿Qué quieres?

SIMÓN

Que han abierto la puerta de esa alcoba, y huele a faldas que trasciende.

DON DIEGO

¿Sí?... Retirémonos.

ESCENA II

Doña Francisca, Don Diego, Rita, Simón

RITA

Con tiento, señorita.

Doña Francisca

Siguiendo la pared, ¿no voy bien?
(Vuelven a puntear el instrumento.)

RITA

Sí, señora... Pero vuelven a tocar... Silencio...

Doña Francisca

No te muevas... Deja... Sepamos primero si es él.

RITA

¿Pues no ha de ser?... La seña no puede mentir.

Doña Francisca

Calla. Sí, él es... ¡Dios mío! *(Acércase Rita a la ventana, abre la vidriera y da tres palmadas. Cesa la música.)* Ve, responde... Albricias, corazón. Él es.

SIMÓN

¿Ha oído usted?

Don Diego

Sí.

SIMÓN

¿Qué querrá decir esto?

Don Diego

Calla.

Doña Francisca

(Se asoma a la ventana. Rita se queda detrás de ella. Los puntos suspensivos indican las interrupciones más o menos largas.) Yo soy... Y ¿qué había de pensar viendo lo que us-

ted acababa de hacer?... ¿Qué fuga es ésta? Rita *(apartándose de la ventana, y vuelve después a asomarse)* amiga, por Dios, ten cuidado, y si oyeres algún rumor, al instante avísame... ¿Para siempre? ¡Triste de mí! Bien está, tírela usted... Pero yo no acabo de entender... ¡Ay, don Félix! Nunca le he visto a usted tan tímido... *(Tiran desde adentro una carta que cae por la ventana al teatro. Doña Francisca la busca y no la halla, y no hallándola vuelve a asomarse.)* No, no la he cogido; pero aquí está sin duda... ¿Y he de saber yo hasta que llegue el día los motivos que tiene usted para dejarme muriendo?... Sí, yo quiero saberlo de boca de usted. Su Paquita de usted se lo manda... Y ¿cómo le parece a usted que estará el mío?... No me cabe en el pecho... Diga usted.

> *(Simón se adelanta un poco, tropieza con la jaula y la deja caer.)*

RITA
Señorita, vamos de aquí... Presto, que hay gente.

DOÑA FRANCISCA
¡Infeliz de mí!... Guíame.

RITA
Vamos. *(Al retirarse tropieza con Simón. Las dos se van al cuarto de doña Francisca.)*
¡Ay!

DOÑA FRANCISCA
¡Muerta voy!

ESCENA III

DON DIEGO, SIMÓN

DON DIEGO
¿Qué grito fue ése?

SIMÓN
Una de las fantasmas,[71] que al retirarse tropezó conmigo.

71. *Fantasmas* era, entonces, femenino.

Don Diego

Acércate a esa ventana, y mira si hallas en el suelo un papel... ¡Buenos estamos!

Simón

(Tentando por el suelo, cerca de la ventana.) No encuentro nada, señor.

Don Diego

Búscalo bien, que por ahí ha de estar.

Simón

¿Le tiraron desde la calle?

Don Diego

Sí... ¿Qué amante es éste? ¡Y dieciséis años y criada en un convento! Acabó ya toda mi ilusión.

Simón

Aquí está. *(Halla la carta, y se la da a don Diego.)*

Don Diego

Vete abajo, y enciende una luz... En la caballeriza o en la cocina... Por ahí habrá algún faro... Y vuelve con ella al instante.
(Vase Simón por la puerta del foro.)

ESCENA IV

Don Diego

¿Y a quién debo culpar? *(Apoyándose en el respaldo de una silla.)* ¿Es ella la delincuente, o su madre, o sus tías, o yo?... ¿Sobre quién..., sobre quién ha de caer esta cólera que por más que lo procuro no la sé reprimir?... ¡La Naturaleza la hizo tan amable a mis ojos!... ¡Qué esperanzas tan halagüeñas concebí! ¡Qué felicidades me prometía!... ¡Celos!... ¿Yo? ¡En qué edad tengo celos!... Vergüenza es... Pero esta inquietud que yo siento, esta indignación, estos deseos de venganza, ¿de qué provienen? ¿Cómo he de llamarlos?

Otra vez parece que... *(Advirtiendo que suena ruido en la puerta del cuarto de doña Francisca, se retira a un extremo del teatro.)* Sí.

ESCENA V

Don Diego, Rita, Simón

RITA

Ya se han ido... *(Observa, escucha, asómase después a la ventana y busca la carta por el suelo.)* ¡Válgame Dios!... El papel estará muy bien escrito, pero el señor don Félix es un grandísimo picarón... ¡Pobrecita de mi alma! Se muere sin remedio... Nada, ni perros parecen por la calle... ¡Ojalá no los hubiéramos conocido! ¿Y este maldito papel?... Pues buena la hiciéramos si no pareciese... ¿Qué dirá? Mentiras, mentiras, y todo mentira.

SIMÓN

Ya tenemos luz.
(Sale con luz. Rita se sorprende.)

RITA

¡Perdida soy!

DON DIEGO

(Acercándose.) ¡Rita! ¿Pues tú aquí?

RITA

Sí, señor; porque...

DON DIEGO

¿Qué buscas a estas horas?

RITA

Buscaba... Yo le diré a usted... Porque oímos un ruido tan grande...

SIMÓN

¿Sí, eh?

RITA

Cierto... Un ruido y... mire usted *(alza la jaula que está en el suelo)*, era la jaula del tordo... Pues la jaula era, no tiene duda. ¡Válgate Dios! ¿Si habrá muerto? No, vivo está, vaya... Algún gato habrá sido. Preciso.

SIMÓN

Sí, algún gato.

RITA

¡Pobre animal! ¡Y qué asustadillo se conoce que está todavía!

SIMÓN

Y con mucha razón... ¿No te parece, si le hubiera pillado el gato?...

RITA

Se le hubiera comido.

(Cuelga la jaula de un clavo que habrá en la pared.)

SIMÓN

Y sin pebre...[72] ni plumas hubiera dejado.

DON DIEGO

Tráeme esa luz.

RITA

¡Ah! Deje usted, encenderemos ésta *(enciende la vela que está sobre la mesa)* que ya lo que no se ha dormido...

DON DIEGO

Y doña Paquita, ¿duerme?

RITA

Sí, señor.

SIMÓN

Pues mucho es que con el ruido del tordo...

DON DIEGO

Vamos.

(Se entra en su cuarto. Simón va con él, llevándose una de las luces.)

72. Pimienta.

ESCENA VI

Doña Francisca, Rita

DOÑA FRANCISCA
(Saliendo de su cuarto.) ¿Ha parecido el papel?

RITA
No, señora.

DOÑA FRANCISCA
¿Y estaban aquí los dos cuando tú saliste?

RITA
Yo no lo sé. Lo cierto es que el criado sacó una luz, y me hallé de repente, como por máquina,[73] entre él y su amo, sin poder escapar ni saber qué disculpa darles.
(Coge la luz y vuelve a buscar la carta, cerca de la ventana.)

DOÑA FRANCISCA
Ellos eran, sin duda... Aquí estarían cuando yo hablé desde la ventana... ¿Y ese papel?

RITA
Yo no lo encuentro, señorita.

DOÑA FRANCISCA
Le tendrán ellos, no te canses... Si es lo único que faltaba a mi desdicha... No le busques. Ellos le tienen.

RITA
A lo menos por aquí...

DOÑA FRANCISCA
¡Yo estoy loca! *(Siéntase.)*

RITA
Sin haberse explicado este hombre, ni decir siquiera...

73. Como por arte de magia.

Doña Francisca

Cuando iba a hacerlo, me avisaste, y fue preciso retirarnos... Pero ¿sabes tú con qué temor que habló, qué agitación mostraba? Me dijo que en aquella carta vería yo los motivos justos que le precisaban a volverse; que la había escrito para dejársela a persona fiel que la pusiera en mis manos, suponiendo que el verme sería imposible. Todo engaños, Rita, de un hombre aleve que prometió lo que no pensaba cumplir... Vino, halló un competidor, y diría: Pues yo ¿para qué he de molestar a nadie ni hacerme ahora defensor de una mujer?... ¡Hay tantas mujeres! Cásenla... Yo nada pierdo... Primero es mi tranquilidad que la vida de esa infeliz. ¡Dios mío, perdón!... ¡Perdón de haberle querido tanto!

Rita

¡Ay, señorita! *(Mirando hacia el cuarto de don Diego.)* Que parece que salen ya.

Doña Francisca

No importa, déjame.

Rita

Pero si don Diego la ve a usted de esa manera...

Doña Francisca

Si todo se ha perdido ya, ¿qué puedo temer?... ¿Y piensas tú que tengo alientos para levantarme?... Que vengan, nada importa.

ESCENA VII

Don Diego, Doña Francisca, Simón, Rita

Simón

Voy enterado, no es menester más.

Don Diego

Mira, y haz que ensillen inmediatamente al *Moro*, mientras tú vas allá. Si han salido, vuelves, montas a caballo,

y en una buena carrera que des, los alcanzas... ¿Los dos
aquí, eh?... Conque, vete, no se pierda tiempo.

(*Después de hablar los dos, junto al cuarto de don
Diego, se va Simón por la puerta del foro.*)

SIMÓN

Voy allá.

DON DIEGO

Mucho se madruga, doña Paquita.

DOÑA FRANCISCA

Sí, señor.

DON DIEGO

¿Ha llamado ya doña Irene?

DOÑA FRANCISCA

No, señor... Mejor es que vayas allá, por si ha desperta-
do y se quiere vestir.

(*Rita se va al cuarto de doña Irene.*)

ESCENA VIII

DON DIEGO, DOÑA FRANCISCA

DON DIEGO

¿Usted no habrá dormido bien esta noche?

DOÑA FRANCISCA

No, señor. ¿Y usted?

DON DIEGO

Tampoco.

DOÑA FRANCISCA

Ha hecho demasiado calor.

DON DIEGO

¿Está usted desazonada?

Doña Francisca

Alguna cosa.

Don Diego

¿Qué siente usted?

Doña Francisca

No es nada... Así un poco de... Nada..., no tengo nada.

Don Diego

Algo será; porque la veo a usted muy abatida, llorosa, inquieta. ¿Qué tiene usted, Paquita? ¿No sabe usted que la quiero tanto?

Doña Francisca

Sí, señor.

Don Diego

Pues ¿por qué no hace usted más confianza de mí? ¿Piensa usted que no tendré yo mucho gusto en hallar ocasiones de complacerla?

Doña Francisca

Ya lo sé.

Don Diego

¿Pues cómo, sabiendo que tiene usted un amigo, no desahoga con él su corazón?

Doña Francisca

Porque eso mismo me obliga a callar.

Don Diego

Eso quiere decir que tal vez soy yo la causa de su pesadumbre de usted.

Doña Francisca

No, señor; usted en nada me ha ofendido... No es de usted de quien yo me debo quejar.

Don Diego

Pues ¿de quién, hija mía?... Venga usted acá... (*Acercándose más.*) Hablemos siquiera una vez sin rodeos ni disimulación. Dígame usted: ¿no es cierto que usted mira con algo de repugnancia este casamiento que se la propone?

¿Cuánto va que si la dejasen a usted entera libertad para la
elección no se casaría conmigo?

DOÑA FRANCISCA

Ni con otro.

DON DIEGO

¿Será posible que usted no conozca otro más amable
que yo, que la quiera bien, y que la corresponda como usted
merece?

DOÑA FRANCISCA

No, señor; no, señor.

DON DIEGO

Mírelo usted bien.

DOÑA FRANCISCA

¿No le digo a usted que no?

DON DIEGO

¿Y he de creer, por dicha, que conserve usted tal inclinación al retiro en que se ha criado, que prefiera la austeridad del convento a una vida más...?

DOÑA FRANCISCA

Tampoco; no, señor... Nunca he pensado así.

DON DIEGO

No tengo empeño de saber más... Pero de todo lo que
acabo de oír resulta una gravísima contradicción. Usted no
se halla inclinada al estado religioso, según parece. Usted me
asegura que no tiene queja ninguna de mí, que está persua-
dida de lo mucho que la estimo, que no piensa casarse con
otro, ni debo recelar que nadie me dispute su mano... Pues
¿qué llanto es éste? ¿De dónde nace esa tristeza profunda,
que en tan poco tiempo ha alterado su semblante de usted,
en términos que apenas le reconozco? ¿Son éstas las señales
de quererme exclusivamente a mí, de casarse gustosa conmigo dentro de pocos días? ¿Se anuncian así la alegría y el
amor?

(*Vase iluminando lentamente la escena, suponiendo
que viene la luz del día.*)

DOÑA FRANCISCA

Y ¿qué motivos le he dado a usted para tales desconfianzas?

DON DIEGO

¿Pues qué? Si yo prescindo de estas consideraciones, si apresuro las diligencias de nuestra unión, si su madre de usted sigue aprobándola y llega el caso de...

DOÑA FRANCISCA

Haré lo que mi madre me manda, y me casaré con usted.

DON DIEGO

¿Y después, Paquita?

DOÑA FRANCISCA

Después..., y mientras me dure la vida, seré mujer de bien.

DON DIEGO

Eso no lo puedo yo dudar. Pero si usted me considera como el que ha de ser hasta la muerte su compañero y su amigo, dígame usted: estos títulos ¿no me dan algún derecho para merecer de usted mayor confianza? ¿No he de lograr que usted me diga la causa de su dolor? Y no para satisfacer una impertinente curiosidad, sino para emplearme todo en su consuelo, en mejorar su suerte, en hacerla dichosa, si mi conato[74] y mis diligencias pudiesen tanto.

DOÑA FRANCISCA

¡Dichas para mí...! Ya se acabaron.

DON DIEGO

¿Por qué?

DOÑA FRANCISCA

Nunca diré por qué.

DON DIEGO

Pero ¡qué obstinado, qué imprudente silencio!... Cuando usted misma debe presumir que no estoy ignorante de lo que hay.

74. Intento.

Doña Francisca

Si usted lo ignora, señor don Diego, por Dios no finja que lo sabe; y si, en efecto, lo sabe usted, no me lo pregunte.

Don Diego

Bien está. Una vez que no hay nada que decir, que esa aflicción y esas lágrimas son voluntarias, hoy llegaremos a Madrid, y dentro de ocho días será usted mi mujer.

Doña Francisca

Y daré gusto a mi madre.

Don Diego

Y vivirá usted infeliz.

Doña Francisca

Ya lo sé.

Don Diego

Ve aquí los frutos de la educación. Esto es lo que se llama criar bien a una niña: enseñarla a que desmienta y oculte las pasiones más inocentes con una pérfida disimulación. Las juzgan honestas luego que las ven instruidas en el arte de callar y mentir. Se obstinan en que el temperamento, la edad ni el genio no han de tener influencia alguna en sus inclinaciones, o en que su voluntad ha de torcerse al capricho de quien las gobierna. Todo se las permite, menos la sinceridad. Con tal que no digan lo que sienten, con tal que finjan aborrecer lo que más desean, con tal que se presten a pronunciar, cuando se lo manden, un sí perjuro, sacrílego, origen de tantos escándalos, ya están bien criadas, y se llama excelente educación la que inspira en ellas el temor, la astucia y el silencio de un esclavo.[75]

Doña Francisca

Es verdad... Todo eso es cierto... Eso exigen de nosotras, eso aprendemos en la escuela que se nos da... Pero el motivo de mi aflicción es mucho más grande.

Don Diego

Sea cual fuere, hija mía, es menester que usted se ani-

---

75. Es, naturalmente, Moratín quien habla por boca de don Diego.

me... Si la ve a usted su madre de esa manera, ¿qué ha de decir?... Mire usted que ya parece que se ha levantado.

DOÑA FRANCISCA

¡Dios mío!

DON DIEGO

Sí, Paquita; conviene mucho que usted vuelva un poco sobre sí... No abandonarse tanto... Confianza en Dios... Vamos, que no siempre nuestras desgracias son tan grandes como la imaginación las pinta... ¡Mire usted qué desorden éste! ¡Qué agitación! ¡Qué lágrimas! Vaya, ¿me da usted palabra de presentarse así..., con cierta serenidad y...? ¿Eh?

DOÑA FRANCISCA

Y usted, señor... Bien sabe usted el genio de mi madre. Si usted no me defiende, ¿a quién he de volver los ojos? ¿Quién tendrá compasión de esta desdichada?

DON DIEGO

Su buen amigo de usted... Yo... ¿Cómo es posible que yo la abandonase..., ¡criatura!..., en la situación dolorosa en que la veo?

(Asiéndola de las manos.)

DOÑA FRANCISCA

¿De veras?

DON DIEGO

Mal conoce usted mi corazón.

DOÑA FRANCISCA

Bien le conozco.

(Quiere arrodillarse; don Diego se lo estorba, y ambos se levantan.)

DON DIEGO

¿Qué hace usted, niña?

DOÑA FRANCISCA

Yo no sé... ¡Qué poco merece toda esa bondad una mujer tan ingrata para con usted!... No, ingrata, no; infeliz... ¡Ay, qué infeliz soy, señor don Diego!

DON DIEGO

Yo bien sé que usted agradece como puede el amor que la tengo... Lo demás todo ha sido..., ¿qué sé yo?..., una equivocación mía, y no otra cosa... Pero usted, ¡inocente!, usted no ha tenido la culpa.

DOÑA FRANCISCA

Vamos... ¿No viene usted?

DON DIEGO

Ahora no, Paquita. Dentro de un rato iré por allá.

DOÑA FRANCISCA

Vaya usted presto.
    (*Encaminándose al cuarto de doña Irene, vuelve y se despide de don Diego besándole las manos.*)

DON DIEGO

Sí, presto iré.

ESCENA IX

DON DIEGO, SIMÓN

SIMÓN

Ahí están, señor.

DON DIEGO

¿Qué dices?

SIMÓN

Cuando yo salía de la Puerta, los vi a lo lejos, que iban ya de camino. Empecé a dar voces y hacer señas con el pañuelo; se detuvieron, y apenas llegué y le dije al señorito lo que usted mandaba, volvió las riendas, y está abajo. Le encargué que no subiera hasta que le avisara yo, por si acaso había gente aquí, y usted no quería que le viesen.

DON DIEGO

¿Y qué dijo cuando le diste el recado?

SIMÓN

Ni una sola palabra... Muerto viene. Ya digo, ni una sola palabra... A mí me ha dado compasión el verle así tan...

DON DIEGO

No me empieces ya a interceder por él.

SIMÓN

¿Yo, señor?

DON DIEGO

Sí, que no te entiendo yo... ¡Compasión!... Es un pícaro...

SIMÓN

Como yo no sé lo que ha hecho...

DON DIEGO

Es un bribón, que me ha de quitar la vida... Ya te he dicho que no quiero intercesores.

SIMÓN

Bien está, señor.

(Vase por la puerta del foro. Don Diego se sienta, manifestando inquietud y enojo.)

DON DIEGO

Dile que suba.

ESCENA X

DON CARLOS, DON DIEGO

DON DIEGO

Venga usted acá, señorito; venga usted... ¿En dónde has estado desde que no nos vemos?

DON CARLOS

En el mesón de afuera.

DON DIEGO

Y no has salido de allí en toda la noche, ¿eh?

DON CARLOS

Sí, señor; entré en la ciudad y...

DON DIEGO

¿A qué?... Siéntese usted.

DON CARLOS

Tenía precisión de hablar con un sujeto... *(Siéntase.)*

DON DIEGO

¡Precisión!

DON CARLOS

Sí, señor... Le debo muchas atenciones, y no era posible
volverme a Zaragoza sin estar primero con él.

DON DIEGO

Ya. En habiendo tantas obligaciones de por medio... Pero
venirle a ver a las tres de la mañana, me parece mucho
desacuerdo... ¿Por qué no le escribiste un papel?... Mira,
aquí he de tener... Con este papel que le hubieras enviado
en mejor ocasión, no había necesidad de hacerle trasnochar,
ni molestar a nadie.

*(Dándole el papel que tiraron a la ventana. Don Car-
los, luego que le reconoce, se le vuelve y se levanta en
ademán de irse.)*

DON CARLOS

Pues si todo lo sabe usted, ¿para qué me llama? ¿Por
qué no me permite seguir mi camino, y se evitaría una con-
testación de la cual ni usted ni yo quedaríamos contentos?

DON DIEGO

Quiere saber su tío de usted lo que hay en esto, y quiere
que usted se lo diga.

DON CARLOS

¿Para qué saber más?

DON DIEGO

Porque yo lo quiero y lo mando. ¡Oiga!

DON CARLOS

Bien está.

DON DIEGO

Siéntese ahí... *(Siéntase don Carlos.)* ¿En dónde has conocido a esta niña?... ¿Qué amor es éste? ¿Qué circunstancias han ocurrido?... ¿Qué obligaciones hay entre los dos? ¿Dónde, cuándo la viste?

DON CARLOS

Volviéndome a Zaragoza el año pasado, llegué a Guadalajara sin ánimo de detenerme; pero el intendente, en cuya casa de campo nos apeamos, se empeñó en que había de quedarme allí todo aquel día, por ser cumpleaños de su parienta, prometiéndome que al siguiente me dejaría proseguir mi viaje. Entre las gentes convidadas hallé a doña Paquita, a quien la señora había sacado aquel día del convento para que se esparciese un poco... Yo no sé qué vi en ella, que excitó en mí una inquietud, un deseo constante, irresistible, de mirarla, de oírla, de hallarme a su lado, de hablar con ella, de hacerme agradable a sus ojos... El intendente dijo entre otras cosas..., burlándose..., que yo era muy enamorado, y le ocurrió fingir que me llamaba don Félix de Toledo. Yo sostuve esa ficción, porque desde luego concebí la idea de permanecer algún tiempo en aquella ciudad, evitando que llegase a noticia de usted... Observé que doña Paquita me trató con un agrado particular, y cuando por la noche nos separamos, yo quedé lleno de vanidad y de esperanzas, viéndome preferido a todos los concurrentes de aquel día, que fueron muchos. En fin... Pero no quisiera ofender a usted refiriéndole...

DON DIEGO

Prosigue.

DON CARLOS

Supe que era hija de una señora de Madrid, viuda y pobre, pero de gente muy honrada... Fue necesario fiar de mi amigo los proyectos de amor que me obligaban a quedarme en su compañía; y él, sin aplaudirlos ni desaprobarlos, halló disculpas, las más ingeniosas, para que ninguno de su

familia extrañara mi detención. Como su casa de campo
está inmediata a la ciudad, fácilmente iba y venía de noche... Logré que doña Paquita leyese algunas cartas mías;
y con las pocas respuestas que de ella tuve, acabé de pre-
cipitarme en una pasión que mientras viva me hará infeliz.

Don Diego
Vaya... Vamos, sigue adelante.

Don Carlos
Mi asistente (que, como usted sabe, es hombre de travesura y conoce el mundo), con mil artificios que a cada
paso le ocurrían, facilitó los muchos estorbos que al principio hallábamos... la seña era dar tres palmadas, a las
cuales respondían con otras tres desde una ventanilla que
daba al corral de las monjas. Hablábamos todas las noches,
muy a deshora, con el recato y las precauciones que ya se
dejan entender... Siempre fui para ella don Félix de Toledo,
oficial de un regimiento, estimado de mis jefes y hombre de
honor... Nunca la dije más, ni la di a entender que casán-
dose conmigo podría aspirar a mejor fortuna; porque ni me
convenía nombrarle a usted, ni quise exponerla a que las
miras de interés, y no el amor, la inclinasen a favorecerme.
De cada vez la hallé más fina, más hermosa, más digna de
ser adorada... Cerca de tres meses me detuve allí; pero al
fin era necesario separarnos, y una noche funesta me des-
pedí, la dejé rendida a un desmayo mortal, y me fui ciego
de amor adonde mi obligación me llamaba... Sus cartas con-
solaron por algún tiempo mi ausencia triste, y en una que
recibí pocos días ha, me dijo cómo su madre trataba de ca-
sarla, que primero perdería la vida que dar su mano a otro
que a mí; me acordaba mis juramentos, me exhortaba a
cumplirlos... Monté a caballo, corrí precipitado el camino,
llegué a Guadalajara, no la encontré, vine aquí... Lo demás
bien lo sabe usted, no hay para qué decírselo.

Don Diego
¿Y qué proyectos eran los tuyos en esta venida?

Don Carlos
Consolarla, jurarla de nuevo un eterno amor, pasar a Madrid, verle a usted, echarme a sus pies, referirle todo lo

ocurrido, y pedirle, no riquezas, ni herencias, ni protecciones, ni... eso no... Sólo su consentimiento y su bendición para verificar un enlace tan suspirado, en que ella y yo fundábamos toda nuestra felicidad.

DON DIEGO

Pues ya ves, Carlos, que es tiempo de pensar muy de otra manera.

DON CARLOS

Sí, señor.

DON DIEGO

Si tú la quieres, yo la quiero también. Su madre y toda su familia aplauden este casamiento. Ella..., y sean las que fueren las promesas que a ti te hizo..., ella misma, no ha media hora, me ha dicho que está pronta a obedecer a su madre y darme la mano, así que...

DON CARLOS

Pero no el corazón. *(Levántase.)*

DON DIEGO

¿Qué dices?

DON CARLOS

No, eso no... Sería ofenderla... Usted celebrará sus bodas cuando guste; ella se portará siempre como conviene a su honestidad y a su virtud; pero yo he sido el primero, el único objeto de su cariño, lo soy y lo seré... Usted se llamará su marido; pero si alguna o muchas veces la sorprende, y ve sus ojos hermosos inundados en lágrimas, por mí las vierte... No la pregunte usted jamás el motivo de sus melancolías... Yo, yo seré la causa... Los suspiros, que en vano procurará reprimir, serán finezas dirigidas a un amigo ausente.

DON DIEGO

¿Qué temeridad es ésta?

(Se levanta con mucho enojo, encaminándose hacia don Carlos, que se va retirando.)

DON CARLOS

Ya se lo dije a usted... Era imposible que yo hablase una palabra sin ofenderle... Pero acabemos esta odiosa conversación... Viva usted feliz, y no me aborrezca, que yo en nada le he querido disgustar... La prueba mayor que yo puedo darle de mi obediencia y mi respeto, es la de salir de aquí inmediatamente... Pero no se me niegue a lo menos el consuelo de saber que usted me perdona.

DON DIEGO

¿Conque, en efecto, te vas?

DON CARLOS

Al instante, señor... Y esta ausencia será bien larga.

DON DIEGO

¿Por qué?

DON CARLOS

Porque no me conviene verla en mi vida... Si las voces que corren de una próxima guerra se llegaran a verificar... entonces...

DON DIEGO

¿Qué quieres decir?
(Asiendo de un brazo a don Carlos le hace venir más adelante.)

DON CARLOS

Nada... Que apetezco la guerra porque soy soldado.

DON DIEGO

¡Carlos!... ¡Qué horror! ¿Y tienes corazón para decírmelo?

DON CARLOS

Alguien viene... (Mirando con inquietud hacia el cuarto de doña Irene, se desprende de don Diego y hace que se va por la puerta del foro. Don Diego va detrás de él y quiere detenerle.) Tal vez será ella... Quede usted con Dios.

DON DIEGO

¿Adónde vas?... No, señor; no has de irte.

DON CARLOS

Es preciso... Yo no he de verla... Una sola mirada nuestra pudiera causarle a usted inquietudes.

DON DIEGO

Ya he dicho que no ha de ser... Entra en ese cuarto.

DON CARLOS

Pero si...

DON DIEGO

Haz lo que te mando.
(Éntrase don Carlos en el cuarto de don Diego.)

ESCENA XI

DOÑA IRENE, DON DIEGO

DOÑA IRENE

Conque, señor don Diego, ¿es ya la de vámonos?... Buenos días... *(Apaga la luz que está sobre la mesa.)* ¿Reza usted?

DON DIEGO

(Paseándose con inquietud.) Sí, para rezar estoy ahora.

DOÑA IRENE

Si usted quiere, ya pueden ir disponiendo el chocolate, y que avisen al mayoral para que enganchen luego que... Pero ¿qué tiene usted, señor?... ¿Hay alguna novedad?

DON DIEGO

Sí; no deja de haber novedades.

DOÑA IRENE

Pues ¿qué? Dígalo usted, por Dios... ¡Vaya, vaya!... No sabe usted lo asustada que estoy... Cualquiera cosa, así, repentina, me remueve toda y me... Desde el último mal parto que tuve, quedé tan sumamente delicada de los nervios... Y va ya para diez años, si no son veinte; pero desde entonces, ya digo, cualquiera friolera me trastorna... Ni los baños, ni caldos de culebra, ni la conserva de tamarindos; nada me ha servido; de manera que...

Don Diego

Vamos, ahora no hablemos de malos partos ni de conservas... Hay otra cosa más importante de qué tratar... ¿Qué hacen esas muchachas?

Doña Irene

Están recogiendo la ropa y haciendo el cofre para que todo esté a la vela y no haya detención.

Don Diego

Muy bien. Siéntese usted... Y no hay que asustarse ni alborotarse *(siéntanse los dos)* por nada de lo que yo diga; y cuenta, no nos abandone el juicio cuando más lo necesitamos... Su hija de usted está enamorada...

Doña Irene

¿Pues no lo he dicho ya mil veces? Sí, señor, que lo está; y basta que yo lo dijese para que...

Don Diego

¡Este vicio maldito de interrumpir a cada paso! Déjeme usted hablar.

Doña Irene

Bien, vamos, hable usted.

Don Diego

Está enamorada; pero no está enamorada de mí.

Doña Irene

¿Qué dice usted?

Don Diego

Lo que usted oye.

Doña Irene

Pero ¿quién le ha contado a usted esos disparates?

Don Diego

Nadie. Yo lo sé, yo lo he visto, nadie me lo ha contado, y cuando se lo digo a usted, bien seguro estoy de que es verdad... Vaya, ¿qué llanto es éste?

DOÑA IRENE

(Llora.) ¡Pobre de mí!

DON DIEGO

¿A qué viene eso?

DOÑA IRENE

¡Porque me ven sola y sin medios, y porque soy una pobre viuda, parece que todos me desprecian y se conjuran contra mí!

DON DIEGO

Señora doña Irene...

DOÑA IRENE

Al cabo de mis años, y de mis achaques, verme tratada de esta manera, como un estropajo, como una puerca cenicienta, vamos al decir... ¿Quién lo creyera de usted?... ¡Válgame Dios!... ¡Si vivieran mis tres difuntos!... Con el último difunto que me viviera, que tenía un genio como una serpiente...

DON DIEGO

Mire usted, señora, que se me acaba la paciencia.

DOÑA IRENE

Que lo mismo era replicarle, que se ponía hecho una furia del infierno, y un día del Corpus, ya no sé por qué friolera, hartó de mojicones [76] a un comisario ordenador, [77] y si no hubiera sido por dos padres del Carmen, que se pusieron de por medio, le estrella contra un poste en los portales de Santa Cruz.

DON DIEGO

Pero ¿es posible que no ha de atender usted a lo que voy a decirla?

DOÑA IRENE

¡Ay! No, señor; que bien lo sé, que no tengo pelo de tonta, no, señor... Usted ya no quiere a la niña, y busca pretextos para zafarse de la obligación en que está... ¡Hija de mi alma y de mi corazón!

---

76. Golpes.
77. Los incidentes parecen haberse desarrollado en la realidad.

Don Diego

Señora doña Irene, hágame usted el gusto de oírme, de no replicarme, de no decir despropósitos, y luego que usted sepa lo que hay, llore y gima, y grite, y diga cuanto quiera... Pero, entretanto, no me apure usted el sufrimiento, ¡por amor de Dios!

Doña Irene

Diga usted lo que le dé la gana.

Don Diego

Que no volvamos otra vez a llorar y a...

Doña Irene

No, señor; ya no lloro. (*Enjugándose las lágrimas con un pañuelo.*)

Don Diego

Pues hace ya cosa de un año, poco más o menos, que doña Paquita tiene otro amante.[78] Se han hablado muchas veces, se han escrito, se han prometido amor, fidelidad, constancia... Y, por último, existe en ambos una pasión tan fina, que las dificultades y la ausencia, lejos de disminuirla, han contribuido eficazmente a hacerla mayor. En este supuesto...

Doña Irene

¿Pero no conoce usted, señor, que todo es un chisme inventado por alguna mala lengua que no nos quiere bien?

Don Diego

Volvemos otra vez a lo mismo. No, señora; no es chisme. Repito de nuevo que lo sé.

Doña Irene

¿Qué ha de saber usted, señor, ni qué traza tiene eso de verdad? ¡Conque la hija de mis entrañas, encerrada en un convento, ayunando los siete viernes, acompañada de aquellas santas religiosas!... ¡Ella, que no sabe lo que es mundo, que no ha salido todavía del cascarón, como quien dice...! Bien se conoce que no sabe usted el genio que tiene Circun-

---

78. Es decir, enamorado, cortejador.

cisión... ¡Pues bonita es ella para haber disimulado a su sobrina el menor desliz!

DON DIEGO

Aquí no se trata de ningún desliz, señora doña Irene; se trata de una inclinación honesta, de la cual hasta ahora no habíamos tenido antecedente alguno. Su hija de usted es una niña muy honrada, y no es capaz de deslizarse... Lo que digo es que la madre Circuncisión, y la Soledad, y la Candelaria, y todas las madres, y usted, y yo el primero, nos hemos equivocado solemnemente. La muchacha se quiere casar con otro, y no conmigo. Hemos llegado tarde; usted ha contado muy de ligero con la voluntad de su hija. Vaya, ¿para qué es cansarnos? Lea usted este papel, y verá si tengo razón.

(Saca el papel de don Carlos y se lo da a doña Irene. Ella, sin leerlo, se levanta muy agitada, se acerca a la puerta de su cuarto y llama. Levántase don Diego y procura en vano contenerla.)

DOÑA IRENE

¡Yo he de volverme loca!... ¡Francisquita!... ¡Virgen del Tremedal!... ¡Rita! ¡Francisca!

DON DIEGO

Pero ¿a qué es llamarlas?

DOÑA IRENE

Sí, señor; que quiero que venga y que se desengañe la pobrecita de quién es usted.

DON DIEGO

Lo echó todo a rodar... Esto le sucede a quien se fía de la prudencia de una mujer.

ESCENA XII

Doña Francisca, Doña Irene, Don Diego, Rita
(Salen doña Francisca y Rita de su cuarto.)

RITA

¡Señora!

Doña Francisca

¿Me llamaba usted?

Doña Irene

Sí, hija, sí; porque el señor don Diego nos trata de un
modo que ya no se puede aguantar. ¿Qué amores tienes,
niña? ¿A quién has dado palabra de matrimonio? ¿Qué en-
redos son éstos?... Y tú, picarona... Pues tú también lo has
de saber... Por fuerza lo sabes... ¿Quién ha escrito este
papel? ¿Qué dice? *(Presentando el papel abierto a doña
Francisca.)*

RITA

(Aparte a doña Francisca.) Su letra es.

Doña Francisca

¡Qué maldad!... Señor don Diego, ¿así cumple usted su
palabra?

Don Diego

Bien sabe Dios que no tengo la culpa... Venga usted aquí.
*(Tomando de una mano a doña Francisca, la pone a su
lado.)* No hay que temer... Y usted, señora, escuche y calle,
y no me ponga en términos de hacer un desatino... Deme
usted ese papel. *(Quitándole el papel.)* Paquita, ya se acuerda usted de las tres palmadas de esta noche.

Doña Francisca

Mientras viva me acordaré.

Don Diego

Pues éste es el papel que tiraron a la ventana. No hay
que asustarse, ya lo he dicho. *(Lee.) Bien mío: Si no con-*

sigo hablar con usted, haré lo posible para que llegue a sus manos esta carta. Apenas me separé de usted, encontré en la posada al que yo llamaba mi enemigo, y al verle no sé cómo no expiré de dolor. Me mandó que saliera inmediatamente de la ciudad, y fue preciso obedecerle. Yo me llamo don Carlos, no don Félix. Don Diego es mi tío. Viva usted dichosa, y olvide para siempre a su infeliz amigo. — Carlos de Urbina.

DOÑA IRENE

¿Conque hay eso?

DOÑA FRANCISCA

¡Triste de mí!

DOÑA IRENE

¿Conque es verdad lo que decía el señor, grandísima picarona? Te has de acordar de mí.

(Se encamina a doña Francisca, muy colérica, y en ademán de querer maltratarla. Rita y don Diego lo estorban.)

DOÑA FRANCISCA

¡Madre!... ¡Perdón!

DOÑA IRENE

No, señor; que la he de matar.

DON DIEGO

¿Qué locura es ésta?

DOÑA IRENE

He de matarla.

ESCENA XIII

Don Carlos, Don Diego, Doña Irene, Doña Francisca, Rita

(Sale don Carlos del cuarto precipitadamente; coge de un brazo a doña Francisca, se la lleva hacia el fondo del teatro y se pone delante de ella para defenderla. Doña Irene se asusta y se retira.)

Don Carlos

Eso no. Delante de mí nadie ha de ofenderla.

Doña Francisca

¡Carlos!

Don Carlos

(A don Diego.) Disimule usted mi atrevimiento... He visto que la insultaban y no me he sabido contener.

Doña Irene

¿Qué es lo que sucede? ¡Dios mío! ¿Quién es usted?... ¿Qué acciones son éstas?... ¡Qué escándalo!

Don Diego

Aquí no hay escándalo. Ése es de quien su hija de usted está enamorada. Separarlos y matarlos viene a ser lo mismo... Carlos... No importa... Abraza a tu mujer.

(Se abrazan don Carlos y doña Francisca, y después se arrodillan a los pies de don Diego.)

Doña Irene

¿Conque su sobrino de usted?

Don Diego

Sí, señora; mi sobrino, que con sus palmadas, y su música, y su papel me ha dado la noche más terrible que he tenido en mi vida... ¿Qué es esto, hijos míos; qué es esto?

Doña Francisca

¿Conque usted nos perdona y nos hace felices?

Don Diego

Sí, prendas de mi alma... Sí.
(Los hace levantar con expresión de ternura.)

Doña Irene

¿Y es posible que usted se determine a hacer un sacrificio?...

Don Diego

Yo pude separarlos para siempre y gozar tranquilamente la posesión de esta niña amable, pero mi conciencia no lo sufre... ¡Carlos!... ¡Paquita! ¡Qué dolorosa impresión me deja en el alma el esfuerzo que acabo de hacer!... Porque, al fin, soy hombre miserable y débil.

Don Carlos

(Besándole las manos.) Si nuestro amor, si nuestro agradecimiento pueden bastar a consolar a usted en tanta pérdida...

Doña Irene

¡Conque el bueno de don Carlos! Vaya que...

Don Diego

Él y su hija de usted estaban locos de amor, mientras que usted y las tías fundaban castillos en el aire, y me llenaban la cabeza de ilusiones, que han desaparecido como un sueño... Esto resulta del abuso de autoridad, de la opresión que la juventud padece, y éstas son las seguridades que dan los padres y los tutores, y esto es lo que se debe fiar en *el sí de las niñas*... Por una casualidad he sabido a tiempo el error en que estaba. ¡Ay de aquellos que lo saben tarde!

Doña Irene

En fin, Dios los haga buenos, y que por muchos años se gocen... Venga usted acá, señor; venga usted, que quiero abrazarle. *(Abrazando a don Carlos. Doña Francisca se arrodilla y besa la mano a su madre.)* Hija, Francisquita. ¡Vaya! Buena elección has tenido... Cierto que es un galán... Morenillo, pero tiene un mirar de ojos muy hechicero.

Rita

Sí, dígaselo usted, que no lo ha reparado la niña... Señorita, un millón de besos. *(Se besan doña Francisca y Rita.)*

Doña Francisca

Pero ¿ves qué alegría tan grande?... ¡Y tú, como me quieres tanto! Siempre, siempre serás mi amiga.

Don Diego

Paquita, hermosa *(abraza a doña Francisca)*, recibe los primeros abrazos de tu nuevo padre... No temo ya la soledad terrible que amenazaba a mi vejez... Vosotros *(asiendo de las manos a doña Francisca y a don Carlos)* seréis la delicia de mi corazón; y el primer fruto de vuestro amor..., sí, hijos, aquél..., no hay remedio, aquél es para mí. Y cuando le acaricie en mis brazos podré decir: a mí me debe su existencia este niño inocente; si sus padres viven, si son felices, yo he sido la causa.

Don Carlos

¡Bendita sea tanta bondad!

Don Diego

Hijos, bendita sea la de Dios.

APÉNDICE

EL ESTRENO DE «EL SÍ DE LAS NIÑAS» EVOCADO POR PÉREZ GALDOS [1]

E L hecho es anterior a los sucesos que me propongo narrar aquí;[2] pero no importa. *El sí de las niñas* se estrenó en enero de 1806. Mi ama trabajaba en los Caños del Peral, porque el Príncipe, incendiado algunos años antes, no estaba aún reedificado. La comedia de Moratín, leída varias veces por éste en las reuniones del Príncipe de la Paz y de Tineo, se anunciaba como un acontecimiento literario que había de rematar gloriosamente su reputación. Los enemigos en letras, que eran muchos, y los envidiosos, que eran más, hacían correr rumores alarmantes, diciendo que la tal obra era un comedión más soporífero que *La mojigata*, más vulgar que *El barón* y más antiespañol que *El café*. Aún faltaban muchos días para el estreno, y ya corrían de mano en mano sátiras y diatribas, que no llegaron a imprimirse. Hasta se tocaron registros de pasmoso efecto entonces, cua-

1. Hemos creído de extraordinario interés didáctico ofrecer, junto al texto de *El sí de las niñas*, una reconstitución literaria de su estreno. No es un documento histórico, ya que Pérez Galdós, naturalmente, no pudo estar presente en el suceso. Pero es bien sabido que el ilustre autor de los *Episodios Nacionales* estudiaba concienzudamente los temas y los ambientes de su obra, dándoles la viveza y la intención que todos conocen. El capítulo que reproducimos es el segundo de *La Corte de Carlos IV*.

2. El narrador es, como se sabe, Gabriel Araceli, que nos da la visión *intrahistórica* de los acontecimientos, ya que es un personaje menor (y, por ello, admirablemente situado) de los mismos. En este «Episodio Nacional» Gabrielillo ya tiene dieciséis años, y al hallarse sin oficio ni beneficio, después de las trifulcas ya narradas en anteriores «Episodios» —«Trafalgar», «Cádiz»—, se acomoda al servicio de una actriz del teatro del Príncipe de Madrid, llamada Pepita González.

les eran excitar la suspicacia de la censura eclesiástica [3] para que no se permitiera la representación; pero de todo triunfó el mérito de nuestro primer dramático, y *El sí de las niñas* fue representado el 24 de enero.

Yo formé parte, no sin alborozo, porque mis pocos años me autorizaban a ello, de la tremenda conjuración fraguada en el vestuario de los Caños del Peral y en otros oscuros conciliábulos, donde míseramente vivían, entre *cendales arachneos*, algunos de los más afamados dramaturgos del siglo precedente. Capitaneaba la conjuración un poeta, de cuya persona y estilo pueden ustedes formarse idea si recuerdan al omnímodo escritor a quien Mercurio escoge entre la gárrula multitud para presentarlo a Apolo.[4] No recuerdo su nombre, aunque sí su figura, que era la de un despreciable y mezquino ser, constituido moral y físicamente como por limosna de la maternal Naturaleza. Consumido su espíritu por la envidia, y su cuerpo por la miseria, ganaba en fealdad y repulsión de año en año; y como su numen ramplón, probado en todos los géneros, desde el heroico al didascálico, no daba ya sino frutos a que hacían ascos los mismos sectarios de la escuela, vivía al fin consagrado a componer groseras diatribas y torpes críticas contra los enemigos de aquella a cuya sombra vivía sin más trabajo que el de la adulación.

Este hijo de Apolo nos condujo en imponente procesión a la cazuela de la Cruz, donde debíamos manifestar con estudiadas señales de desagrado los errores de la escuela clásica. Mucho trabajo nos costó entrar en el coliseo, pues aquella tarde la concurrencia era extraordinaria; pero al fin, gracias a que habíamos acudido temprano, ocupamos los mejores asientos de la región paradisíaca,[5] donde se concertaban todos los discordes ruidos de la pasión literaria y todos los malos olores de un público que no brillaba por su cultura.

Creerán ustedes que el aspecto interior de los teatros de aquel tiempo se parece algo al de nuestros modernos coli-

3. Ya hemos hablado de esto en el prólogo del libro. El profesor Dowling, del Tecnical College de Texas, ha estudiado con todo detalle las relaciones entre Moratín y la Inquisición.

4. Se refiere al poetastro de *La derrota de los pedantes*, de Moratín. Puede ser Comella.

5. Es decir, del *paraíso, cazuela o gallinero*, localidades de tipo popular situadas en el piso más alto del teatro.

seos. ¡Qué error tan grande! En el elevado recinto donde el poetastro había fijado los reales de su tumultuoso batallón, existía un compartimiento que separaba los dos sexos, y de seguro el sabio legislador que tal cosa ordenó en los pasados siglos, se frotaría con satisfacción las manos y daríase un golpe en la augusta frente, creyendo adelantar gran paso en la senda de la armonía entre hombres y mujeres. Por el contrario, la separación avivaba en hembras y varones el natural anhelo de entablar conversación; y lo que la proximidad hubiera permitido en voz baja, la pérfida distancia lo autorizaba en destempladas voces. Así es que entre uno y otro hemisferio se cruzaban palabras cariñosas, o burlonas o soeces; observaciones que hacían desternillar de risa a todo el ilustre concurso; preguntas que se contestaban con juramentos, y agudezas cuya malicia consistía en ser dichas a gritos. Frecuentemente de las palabras se pasaban a las obras, y algunas andanadas de castañas, avellanas, o cáscaras de naranjas, cruzaban *de polo a polo*, arrojadas por diestra mano; ejercicio que, si interrumpía la función, en cambio regocijaba mucho a entrambas partes.

Sin embargo, bueno es advertir que este mismo público, a quien afeaban tan groseras exterioridades, solía dar muestras de gran instinto artístico, llorando con Rita Luna en el drama de Kotzebue, *Misantropía y arrepentimiento*, o participando del sublime horror expresado por Isidoro[6] en la tragedia *Orestes*.[7] Verdad es también que ningún público del mundo ha excedido a aquel en donaire para burlarse de los autores malos y de los poetas que no eran de su agrado. Igualmente dispuesto a la risa que al sentimiento, obedecía como un débil niño a las sugestiones de la escena. Si alguien no pudo jamás tenerle propicio, culpa suya fue.

Mirando el teatro desde arriba parecía el más triste recinto que puede suponerse. Las macilentas luces de aceite, que encendía un mozo saltando de banco en banco, apenas le iluminaban a medias, y tan débilmente, que ni con anteojos se descubrían bien las descoloridas figuras del ahumado techo, donde hacía cabriolas un señor Apolo con lira y borceguíes encarnados. Era de ver la operación de encender la lámpara central que, una vez consumada tan delicada

6. Rita Luna e Isidoro [Máiquez], famosos actores de la época.
7. Se refiere a la tragedia neoclásica *Orestes*, del italiano Vittorio Alfieri.

maniobra, subía lentamente por máquina, entre las exclamaciones de la gente de arriba, que no dejaba pasar tan buena ocasión de manifestarse de un modo ruidoso.

Abajo también había compartimiento, y consistía en una fuerte viga, llamada *degolladero*, que separaba las lunetas del patio propiamente dicho. Los palcos o aposentos eran unos cuchitriles estrechos y oscuros donde se acomodaban como podían las personas de pro; y como era costumbre que las damas colgasen en los antepechos sus chales y abrigos, el conjunto de las galerías tenía un aspecto tal, que parecía decoración hecha ex profeso para representar las calles de Postas o de Mesón de Paños.[8]

El Reglamento de teatros, publicado en 1803, tendía a corregir muchos de estos abusos; pero como nadie se cuidaba de hacerlo cumplir, sólo la costumbre y el progreso de la cultura reformaron hábitos tan feos. Recuerdo que hasta mucho después de la época a que me refiero, las gentes conservaban el sombrero puesto, aunque el Reglamento decía terminantemente en uno de sus artículos: «En los aposentos de todos los pisos, y sin excepción de ninguno, no se permitirá sombrero puesto, gorro, ni red al pelo; pero sí capa o capote para su comodidad.»

Mientras aguardábamos a que se alzase el telón, el poeta me hacía minucioso relato del infinito número de obras que había compuesto, entre dramáticas, cómicas, elegíacas, epigramáticas, venatorias, bucólicas y del género sentimental y mixto. Me contó el argumento de tres o cuatro tragedias que no esperaban más que la protección de un Mecenas para pasar de las musas al teatro, y como si mis culpas no estuvieran aún bastante purgadas con oír los argumentos, me espetó algunos sonetos, que si no eran exactamente iguales al famosísimo

> *Reverberante numen que del Istro*
> *al Marañón sublimas con tu zurda,*[9]

le eran tan semejante como una calabaza a otra.

Cuando la representación iba a empezar, el poeta dirigió

8. Calles populares de Madrid, en cuyas tiendas de ropas, en aquella época, se exhibían los vestidos al aire libre.

9. Es el soneto que recita, ante Apolo, el poetastro de *La derrota de los pedantes.*

su mirada de gerifalte a los abismos del patio para ver si habían puntualmente acudido otros no menos importantes caudillos de la manifestación fraguada contra *El sí de las niñas*. Todos ocupaban sus puestos con puntual celo por la causa nacional. No faltaba ninguno: allí estaba el vidriero de la calle de la Sartén, uno de los más ilustres capitanes de la mosquetería;[10] allí el vendedor de libros de la Costanilla de los Ángeles, hombre perito en las letras humanas; allí *Cuarta y Media*, cuyo fuerte pulmón hizo acallar él solo a todos los admiradores de *La mojigata*; allí el hojalatero de las Tres Cruces, esforzado adalid, que traía bajo la ancha capa algún reluciente y ruidoso caldero para sorprender al auditorio con sinfonías no anunciadas en el programa; allí el incomparable Roque Pamplinas, barbero, veterinario y sangrador, que, con los dedos en la boca, desafiaba a todos los flautistas de Grecia y Roma; allí, en fin, lo más granado y florido que jamás midió sus armas en palenques literarios. Mi poeta quedó satisfecho de la revista que pasó a su ejército, y luego dirigimos todos nuestra atención al escenario, porque la comedia había empezado.

—¡Qué principio! —dijo oyendo el primer diálogo entre don Diego y Simón—. ¡Bonito modo de empezar una comedia! La escena es una posada. ¿Qué puede pasar de interés en una posada? En todas mis comedias, que son muchas, aunque ninguna se ha representado, se abre la acción con un *jardín corintiano, fuentes monumentales a derecha e izquierda, templo de Juno en el fondo, o con gran plaza, donde están formados tres regimientos; en el fondo la ciudad de Varsovia, a la cual se va por un puente...*,[11] etc. Y oiga usted las simplezas que dice ese vejete. Que se va a casar con una niña que han educado las monjas de Guadalajara. ¿Esto tiene algo de particular? ¿No es acaso lo mismo que estamos viendo todos los días?

Con estas observaciones, el endiablado poeta no me deja oír la función, y yo, aunque a todas sus censuras contestaba con monosílabos de humilde aquiescencia, hubiera deseado que callara con mil demonios. Mas era preciso oírle; y cuando aparecieron doña Irene y doña Paquita, mi amigo y jefe no pudo contener su enfado, viendo que atraían la

10. Los *mosqueteros* eran las gentes de la entrada popular que armaban bulla en el teatro.
11. Recuérdese el prurito de *naturalidad* de Moratín.

atención dos personas, de las cuales una era exactamente igual a su patrona, y la otra no era ninguna princesa, ni senescala, ni canonesa, ni landgraviata, ni archidapífera de país ruso o mongol.

—¡Qué asuntos tan comunes! ¡Qué bajeza de ideas! —exclamaba de modo que le pudieran oír todos los circunstantes—. ¿Y para eso se escriben comedias? ¿Pero no oye usted que esa señora está diciendo las mismas necedades que diría doña Mariquita, o doña Gumersinda, o la tía Candungas? Que si tuvo un pariente obispo; que si las monjas educaron a la niña sin artificios ni embelecos; que la muy piojosa se casó a los diecinueve años con don Epitafio; que tuvo veintidós hijos...; así reventara la maldita vieja.

—Pero oigamos —dije yo, sin poder aguantar las importunidades del caudillo—, y luego nos burlaremos de Moratín.

—Es que no puedo sufrir tales despropósitos —continuó—. No se viene al teatro para ver lo que a todas horas se ve en las calles y en casa de cada *quisque*. Si esa señora, en vez de hablar de sus partos, entrase echando pestes contra un general enemigo porque le mató en la guerra sus veintiún hijos, dejándole sólo el veintidós, que está aún en la lactancia, y lo trae para que no se lo coman los sitiados, que se mueren de hambre, la acción tendría interés y ya estaría el público con las manos desolladas de tanto palmoteo... Amigo Gabriel, hay que protestar con fuerza. Golpeemos el suelo con los pies y los bastones, demostrando nuestro cansancio e impaciencia. Ahora bostecemos abriendo la boca hasta que se disloquen las quijadas y volvamos la cara hacia atrás, para que todos los circunstantes, que ya nos tienen por literatos, vean que nos aburrimos de tan sandia y fastidiosa obra.

Dicho y hecho: comenzamos a golpear el suelo, y luego bostezamos en coro, diciéndonos unos a otros: «¡Qué fastidio!...» «¡Qué cosa tan pesada!...» «¡Mal empleado dinero!...», y otras frases por el mismo estilo, que no dejaban de hacer su efecto. Los del patio imitaron puntualísimamente nuestra patriótica actitud. Bien pronto un general murmullo de impaciencia resonó en el ámbito del teatro. Pero si había enemigos, no faltaban amigos, desparramados por lunetas y aposentos, y aquéllos no tardaron en protestar contra nuestra manifestación, ya aplaudiendo, ya mandándonos callar con amenazas y juramentos, hasta que una voz

fortísima, gritando desde el fondo del patio: «¡Afuera los
chorizos!», provocó ruidosa salva de aplausos y nos impuso
silencio.

El poetastro no cabía en su pellejo de indignación. Siguió haciendo observaciones conforme avanzaba la pieza,
y decía:

—Ya, ya sé lo que va a resultar aquí. Ahora resulta que
doña Paquita no quiere al viejo, sino a un militario, que
aún no ha salido, y que es sobrino del calzonazos de don
Diego. Bonito enredo... Parece mentira que esto se aplauda
en una nación culta. Yo condenaba a Moratín a galeras,
obligándole a no escribir más vulgaridades en toda su vida.
¿Te parece, Gabrielito, que esto es comedia? ¡Si no hay enredo, ni trama, ni sorpresa, ni confusiones, ni engaños, ni
quid pro quo, ni aquello de disfrazarse un personaje para
hacer creer que es otro, ni tampoco aquello de que salen dos
insultándose como enemigos para después percatarse de que
son padre e hijo!... Si ese don Diego cogiera a su sobrino,
y, matándole bonitamente en la cueva, preparara un festín
e hiciera servir a su novia un plato de carne de la víctima,
bien condimentado con especias y hoja de laurel, entonces
la cosa tendría alguna malicia... ¿Y la niña por qué disimula? ¿No sería más dramático que se negase a casarse
con el viejo, que le insultara llamándole tirano, o le amena-
zara con arrojarse al Danubio o al Don, si osaba tocar su
virginidad?... Estos poetas nuevos no saben inventar argumentos bonitos, sino majaderías con que engañan a los
bobos, diciéndoles que son conformes a las reglas. Ánimo,
compañero, prepararse todo el mundo. Pronunciemos frases
coléricas, y finjamos disputar en corro diciendo unos que
esta obra es peor que *La mojigata*, y otros que aquélla era
peor que ésta. El que sepa silbar con los dedos, hágalo *ad
libitum*, y patadas a discreción. Apostrofar a doña Irene
cuando se retire de la escena, llamándola cada cual como
le ocurra.

Dicho y hecho: conforme a las terminantes órdenes de
nuestro jefe, armamos una espantosa grita al finalizar el
acto primero. Como los amigos del autor protestaron contra
nosotros, exclamamos: «¡Afuera la polaquería!» [12] y enarde-

12. Ya hemos indicado que *chorizos* y *polacos* eran los nombres de
las pandillas o facciones en que se dividía el público popular en los
teatros de Madrid.

cidos los dos bandos por el calor de la porfía, se cruzaron duros apóstrofes, entre el discorde gritar de la cazuela y el patio. El acto segundo no pasó más felizmente que el primero; y por mi parte ponía gran atención al diálogo, porque en verdad, con perdón sea dicho del poeta mi amigo, la comedia me parecía muy buena, sin que yo acertara a explicarme entonces en qué consistían sus bellezas.

La obstinación de aquella doña Irene, empeñada en que su hija debía casarse con don Diego, porque así cuadraba a su interés, y la torpeza con que cerraba los ojos a la evidencia, creyendo que el consentimiento de su hija era sincero, sin más garantía que la educación de las monjas; el buen sentido del don Diego, que no las tenía todas consigo respecto a la muchacha, y desconfiaba de su remilgada sumisión; la apasionada cortesanía de don Carlos, la travesura de Calamocha, todos los incidentes de la obra, lo mismo los fundamentales que los accesorios, me cautivaban, y al mismo tiempo descubría vagamente en el centro de aquella trama un pensamiento, una intención moral, a cuyo desarrollo estaban sujetos todos los movimientos pasionales de los personajes. Sin embargo, me cuidaba mucho de guardar para mí estos raciocinios, que hubieran significado alevosa traición a la ilustre hueste de silbantes, y fiel a mis banderas, no cesaba de repetir con grandes aspavientos: «¡Qué cosa tan mala!... ¡Parece mentira que esto se escriba!... Ahí sale otra vez la viejecilla... Bien por el viejo ñoño... ¡Qué aburrimiento! ¡Miren la gracia!», etc., etc.

El segundo acto pasó como el primero, entre las manifestaciones de uno y otro lado; pero me parece que los amigos del poeta llevaban ventaja sobre nosotros. Fácil era comprender que la comedia gustaba al público imparcial, y que su buen éxito era seguro, a pesar de las indignas cábalas, en las cuales tenía yo parte. El tercer acto fue, sin disputa, el mejor de los tres; yo le oí con religioso respeto, luchando con las impertinencias de mi amigo el poeta, que en lo mejor de la pieza creyó oportuno desembuchar lo más escogido de sus dicterios.

Hay en el dicho acto tres escenas de una belleza incomparable. Una es aquella en que doña Paquita descubre ante el buen don Diego las luchas entre su corazón y el deber impuesto por una hipócrita conformidad con superiores voluntades; otra es aquella en que intervienen don Carlos y

El justiciero pueblo que nos rodeaba, y que en su buen instinto artístico comprendía el mérito de la obra, protestó contra nuestra indigna cruzada, y algunos de los más ardientes de la falange se vieron aporreados de improviso. Lo que tengo más presente es la mala aventura que ocurrió al alumno de Apolo en aquella breve batalla por él provocada. Usaba un sombrero típico de dimensiones harto mayores que las proporcionadas a su cabeza, y en el momento en que se volvía para contestar a las injurias de cierto individuo, una mano vigorosa, cayendo a plomo sobre aquella prenda hiperbólica, se la hundió hasta que las puntas descansaron sobre los hombros. En esta actitud estuvo el infeliz manoteando un rato, incapaz para sacar a luz su cabeza del tenebroso recinto en que había quedado sepultada.

Por fin, los amigos le sacamos con gran esfuerzo el sombrero, y él, echando espumarajos por la boca, juró tomar venganza tan sangrienta como pronta; pero no pasó de aquí su furor, porque todos los circunstantes se reían de él y a ninguno se dirigió para vengarse. Le sacamos a la calle, donde se serenó algún tanto, y nos separamos, prometiendo juntarnos al día siguiente en el mismo sitio.

Tal fue el estreno de *El sí de las niñas*. Aunque la primera tarde fuimos derrotados, aún había esperanzas de hundir la obra en la segunda o tercera representación. Se sabía que el ministro Caballero la desaprobaba, jurando castigar a su autor, y esto daba esperanza al partido de los silbantes, que ya veían a Moratín en poder del Santo Oficio, con coroza de sapos, sambenito y soga al cuello. Pero la segunda tarde vinieron de un golpe a tierra las ilusiones de los más ardientes antimoratinistas, porque la presencia del Príncipe de la Paz impuso silencio a las chicharras, y nadie osó formular demostraciones de desagrado. Desde entonces al autor de *El sí*, a quien se dijo que la conspiración había sido fraguada en el cuarto de mi ama, interrumpió la tibia amistad que con ésta le unía. La González pagó este desvío con un cordial aborrecimiento.

don Diego, y se desata, merced a nobles explicaciones, el nudo de la fábula; y la tercera es la que sostienen del modo más gracioso don Diego y doña Irene, aquél deseando dar por terminado el asunto del matrimonio, y ésta interrumpiéndole a cada paso con sus importunas observaciones.

No pude disimular el gusto que me causó esta escena, que me parecía el colmo de la naturalidad, de la gracia y del interés cómico; pero el poeta me llamó al orden injuriándome por mi deserción del campo *chorizo*.

—Perdone usted —le dije—, me equivoqué. Pero ¿no cree usted que esa escena no está del todo mal?

—¡Cómo se conoce que eres novato y que en la vida has compuesto un verso! ¿Qué tiene esa escena de extraordinario, ni de patético, ni de historiográfico...?

—Es que la naturalidad... Parece que ha visto uno en el mundo lo que el poeta pone en escena.

—Cascaciruelas, pues por eso mismo es tan malo. ¿Has visto que en *Federico II*, en *Catalina de Rusia*, en *La esclava de Negroponto* y otras obras admirables, pase jamás nada que remotamente se parezca a las cosas de la vida? ¿Allí no es todo extraño, singular, excepcional, maravilloso y sorprendente? Pues por eso es tan bueno.[13] Los poetas de hoy no aciertan a imitar a los de mi tiempo, y así está el arte por los mismos suelos.

—Pues yo, con perdón de usted —dije—, creo que... la obra es malísima, convengo; y cuando usted lo dice, bien sabido se tendrá por qué. Pero me parece laudable la intención del autor, que se ha propuesto aquí, según creo, censurar los vicios de la educación que dan a las niñas del día, encerrándolas en los conventos y enseñándolas a disimular y a mentir... Ya lo ha dicho don Diego: las juzgan honestas, cuando les han enseñado el arte de callar, sofocando sus inclinaciones, y las madres se contentan cuando las pobrecillas se prestan a pronunciar un *sí* perjuro que después las hace desgraciadas.

—¿Y quién le mete al autor en esas filosofías? —dijo el pedante—. ¿Qué tiene que ver la moral con el teatro? En *El mágico de Astracán*, en *A España dieron blasón las Asturias y León*, y *Triunfos de Don Pelayo*, comedias que

13. Es decir, los enemigos de Moratín le atacan, precisamente, por su respeto a la *verosimilitud*, clave de la eficacia educativa de las obras.

admira el mundo, ¿has visto acaso algún pasaje en que se
hable del modo de educar a las niñas?

—Yo he oído o leído en alguna parte que el teatro sirve
de entretenimiento y de enseñanza.

—¡Patarata! Además, el señor Moratín se va a encontrar
con la horma de su zapato, por meterse a criticar la educación que dan las señoras monjas. Ya tendrá que habérse-
las con los reverendos obispos y la santa Inquisición, ante
cuyo Tribunal se ha pensado delatar *El sí*, y se delatará,
sí señor.

—Vea usted el final —dije atendiendo a la tierna escena
en que don Diego casa a los dos amantes bendiciéndoles con
cariño paternal.

—¡Qué desenlace tan desabrido! Al menos lerdo se le
ocurre que don Diego debe casarse con doña Irene.

—¡Hombre! ¿Don Diego con doña Irene? Si él es una
persona discreta y seria, ¿cómo va a casarse con esa vieja
fastidiosa?

—¿Qué entiendes tú de eso, chiquillo? —exclamó boste-
zando el pedante—. Digo que lo natural es que don Diego
se case con doña Irene, don Carlos con Paquita y Rita con
Simón. Así quedaría regular el fin, y mucho mejor si resul-
tara que la niña era hija natural de don Diego, y don Carlos
hijo espurio de doña Irene, que le tuvo de algún rey disfrazado, comandante del Cáucaso o bailío condenado a muerte.
De este modo tendría mucho interés el final, mayormente
si uno salía diciendo: «¡Padre mío!», y otro: «¡Madre mía!»,
con lo cual, después de abrazarse, se casaban para dar al
mundo numerosa y masculina sucesión.

—Vamos, que ya se acaba. Parece que el público está
satisfecho —dije yo.

—Pues apretar ahora, muchachos. Manos a la boca. La
comedia es pésima, inaguantable.

La consigna fue prontamente obedecida. Yo mismo, obli-
gado por la disciplina, me introduje los dedos en la boca y...
¡Sombra de Moratín...! ¡Perdón mil veces...! No lo quiero
decir: que comprenda el lector mi ignominia y me juzgue.

Pero nuestra mala estrella quiso que la mayor parte del
público estuviese bien dispuesta en favor de la comedia. Los
silbidos provocaron una tempestad de aplausos, no sólo
entre la gente de los aposentos y lunetas, sino entre los de
la cazuela y tertulia.